Pergunte a

DEEPAK CHOPRA

SOBRE MEDITAÇÃO &
CONSCIÊNCIA SUPERIOR

Pergunte a

DEEPAK CHOPRA

SOBRE MEDITAÇÃO &
CONSCIÊNCIA SUPERIOR

Tradução
PATRÍCIA AZEREDO

1ª edição

Rio de Janeiro | 2016

CIP-BRASIL. CATALOGAÇÃO NA PUBLICAÇÃO
SINDICATO NACIONAL DOS EDITORES DE LIVROS, RJ

C476p

Chopra, Deepak, 1946-
 Pergunte a Deepak Chopra sobre meditação e consciência superior / Deepak Chopra; tradução Patrícia Azeredo. – 1ª ed. – Rio de Janeiro: Best*Seller*, 2016.

Tradução de: Ask Deepak About Meditation and Higher Consciousness
ISBN 978-85-7684-777-9

1. Corpo e mente. 2. Medicina e psicologia. 3. Meditação transcendental. 4. Autorrealização. 5. Técnicas de autoajuda. I. Título

16-31742

CDD: 158.1
CDU: 159.947

Texto revisado segundo o novo Acordo Ortográfico da Língua Portuguesa.

Título original
ASK DEEPAK ABOUT MEDITATION AND HIGHER CONSCIOUSNESS
Copyright © 2014 by Deepak Chopra
Copyright da tradução © 2016 by Editora Best Seller Ltda.

Publicado mediante acordo com The Chopra Center, 2013 Costa Del Mar, Carlsbad, CA 92009, USA.

Capa: Marianne Lépine

Todos os direitos reservados. Proibida a reprodução,
no todo ou em parte, sem autorização prévia por escrito da editora,
sejam quais forem os meios empregados.

Direitos exclusivos de publicação em língua portuguesa para o Brasil
adquiridos pela
EDITORA BEST SELLER LTDA.
Rua Argentina, 171, parte, São Cristóvão
Rio de Janeiro, RJ – 20921-380
que se reserva a propriedade literária desta tradução

Impresso no Brasil
ISBN 978-85-7684-777-9

Seja um leitor preferencial Record.
Cadastre-se e receba informações sobre nossos lançamentos
e nossas promoções.
Atendimento e venda direta ao leitor
mdireto@record.com.br ou (21) 2585-2002

Sumário

	Introdução	7
1	Introdução à iluminação	11
2	Estágios da consciência	27
3	Começando a meditação	43
4	O ego	67
5	Entendendo a consciência pura	83
6	Mantras e modos de meditar	97
7	O intervalo	119
8	Superando o medo	137
9	Sonhos e percepção sensorial	161
10	Consciência da unidade	173
11	Outros livros da série Pergunte a Deepak Chopra	187
	Sobre Deepak Chopra	189
	Para se conectar com Deepak Chopra	191

Introdução

Alcançar os estados superiores de consciência ainda é o cerne da jornada espiritual. A iluminação não costuma acontecer de um dia para o outro em uma só epifania que transcende de um estado dominado pelo ego para outro de completa percepção. Na verdade, nem é uma trajetória em linha reta, e sim uma repleta de possibilidades que levam tanto para a frente quanto para trás e costuma passar longe do caminho mais conhecido. Após uma sessão de meditação profunda, é comum que a pessoa seja tomada por uma sensação de assombro e que perceba a rede da consciência da unidade que nos liga ao universo. Contudo, mais tarde, no mesmo dia, engarrafamentos irritam, ficamos frustrados no trabalho e fartos da labuta diária. Apesar disso, o progresso lento geralmente é real. Estes momentos "eureca" que surgem com a busca ativa da percepção elevada vão se acumulando. No início, essa percepção nos ajuda a lidar com o estresse e superar doenças. Ao longo do tempo, nossa autorrealização contribui para a consciência da unidade como um todo e pode até influenciar mudanças globais.

A primeira barreira quando nos dispomos a alcançar estados mais elevados de consciência parece ser a do vocabulário. Há uma confusão de termos envolvendo a iluminação. Como articular algo que nem é um objeto, além de ser inerentemente indescritível e intangível por natureza? As discussões sobre a consciência se baseiam em metáforas que podem facilmente confundir os iniciantes. Claro que a consciência não está literalmente mais elevada ou acima de algo físico, mas os sábios ao longo da história utilizaram a direção *acima* em um contexto arquetípico, que vai do Buda transcendendo o Nirvana à imagem do paraíso sobre as nuvens. Parte da linguagem usada pelas pessoas realmente é intercambiável e surge da busca dos indivíduos pela frase perfeita para descrever suas experiências indescritíveis. O objetivo, contudo, permanece universal: harmonizar a consciência individual com a consciência coletiva. Alguns se referem a isso como iluminação, sincrodestino, autorrealização, Brâman, consciência da unidade e vários outros termos.

Pela minha experiência, a meditação geralmente é a maneira mais adequada e acessível de se enveredar pelo caminho para a iluminação. A prática simples e regular pode ser feita em grupo ou individualmente, em particular ou com orientação. Os benefícios para a saúde são vários e as vantagens pessoais, incalculáveis. Geralmente eu recomendo usar um mantra e encontrar o que pareça mais correto para o seu corpo. Ao notar explicitamente o padrão da respiração, ouvir atentamente as batidas do coração ou recitar uma frase mentalmente, infinitas possibilidades se apresentam. A meditação nos deixa em harmonia não só com o corpo físico como também com as profundezas da mente e até com o mundo como um todo. Durante a meditação é possível liberar o ego, se libertar da vida diária e chegar ao intervalo, o espaço peculiar e poderoso onde liberamos nossos desejos e intenções e podemos acessar o poder da sincronicidade.

A prática contínua nos abre à possibilidade de todas as coisas, a descobertas poderosas e ao nosso verdadeiro propósito. Embora no início a consciência superior possa parecer nebulosa e nos expor aos nossos medos, buscá-la é nosso destino e nosso direito. A consciência da unidade está latente em todos nós, mas o objetivo da vida é entrar no momento presente e acessá-la.

Deepak Chopra

Introdução à iluminação

POR QUE ESTAMOS AQUI?

Pergunta:
Qual é o sentido da vida? O que estamos fazendo aqui? Venho procurando uma resposta, mas não consigo encontrar uma que seja satisfatória. Nada soa convincente.

Resposta:
Estamos aqui para nos conhecer. Ao obter a percepção completa da nossa natureza essencial, saberemos qual é o sentido da vida. Essas perguntas só podem ser respondidas de modo totalmente satisfatório por você mesmo. A fim de encontrar essas respostas você deve olhar profundamente para dentro do silêncio da sua percepção.

MENTE, ALMA E ESPÍRITO

Pergunta:
Qual é a diferença entre mente, alma e espírito? Alma e espírito são a mesma coisa? O chi compõe todos eles ou os

controla? O espírito está no corpo físico, no coração e na mente, ou é efêmero?

Resposta:

A mente, o espírito e a alma são realidades não físicas e difíceis de diferenciar com a linguagem derivada da experiência sensorial. As propriedades não locais dessas entidades podem ser definidas com mais precisão usando os conceitos da física quântica, pois ela lida com o reino não físico. Todos esses termos podem ser compreendidos como expressões da consciência. Espírito costuma ser usado de modo intercambiável com a natureza universal da consciência pura, que permeia tudo. Alma geralmente é entendida como algo que indica o caráter da individuação da consciência dentro desse campo de percepção ilimitada. Mente é onde pensamentos, sentimentos e lembranças são projetados e processados. A mente pode ser comparada a uma tela de cinema sobre a qual imagens são projetadas e vivenciadas. O chi equivale ao prana e também é uma expressão de consciência. Chi é a energia vital sutil que flui pelo corpo e preserva a saúde. Eu não diria que o chi controla a mente ou a alma; na verdade, seria o contrário: nossas intenções podem direcionar e equilibrar o chi.

A mente e a alma não têm fronteiras físicas exatas porque são campos não locais, mas têm locais de contato e expressão no corpo físico e as tradições espirituais identificaram esses locais no corpo como chakras. Então, mesmo que às vezes se diga que a sede da alma reside no centro do chakra do coração, ela não se limita a esse espaço no corpo.

PENSAMENTO

Pergunta:
O que é o pensamento? O que exatamente acontece quando "pensamos" em algo? Nós estamos realmente gerando estes pensamentos? Os pensamentos são apenas o disparo de neurônios no cérebro? As pessoas iluminadas "pensam" de modo convencional?

Resposta:
O pensamento é o impulso não material da consciência que surge das profundezas silenciosas da nossa percepção ou pode ser ativado por entradas sensoriais ou lembranças. Embora não sejam físicos, pensamentos e sentimentos têm uma contraparte fisiológica no cérebro e na fisiologia. Então, para cada pensamento haverá uma atividade correspondente no sistema nervoso, mas o pensamento não equivale ou se reduz a essa atividade neuronal.

As mentes iluminadas podem não estar presas aos mesmos padrões condicionadores de pensamento do passado, mas funcionam da mesma maneira que as demais.

MEMÓRIA

Pergunta:
Considero a memória o caminho para a alma e para Deus. Ela parece uma dimensão fractal que, embora ondule na direção do passado, afeta constantemente minhas escolhas no presente. O que é de fato a memória?

Resposta:
A memória retém a experiência na mente na forma de impressões. Normalmente, quando a mente é direcionada para

os objetos sensoriais externos, as impressões formadas na mente servem apenas para reforçar os hábitos e padrões de pensamento que nos mantêm identificados com o mundo externo. Contudo, quando a mente fica orientada para o Eu, isto é, voltada para o Eu superior interno, o processo da memória vira um meio de libertação. Isso significa recuperar a lembrança do seu verdadeiro Eu, de quem e do que você realmente é. Foi neste sentido que Arjuna, ao alcançar a iluminação no campo de batalha, disse: "Minha memória foi restaurada."

MANTER-SE NO PRESENTE

Pergunta:
Manter-se no presente a cada momento não é fácil. Eu rezo, medito e acredito que o universo me ajuda. Quando sinto raiva, por exemplo, minha mente não para de ir ao passado e ao futuro. Como você entrega os seus problemas ao universo e se mantém em paz?

Resposta:
Manter-se no presente significa estar no Eu superior, a sua testemunha silenciosa. É um estado de consciência, não uma atitude ou perspectiva que possa ser invocada com orações ou pensamento positivo. A forma mais eficiente de cultivar a percepção do Eu é a meditação. Ao longo do tempo, durante a meditação, a consciência vai despertando em si mesma. Essa testemunha silenciosa interna preenche e ilumina a mente de modo que não olhe para o passado ou o futuro em busca de realização. Ela vivencia a paz e a liberdade dentro de si a cada momento.

PAZ INTERIOR

Pergunta:
Como alcançar a paz interior e exterior?

Resposta:
Você conquista a paz exterior através da paz interior. A paz interior é obtida quando a mente vivencia a sua essência através da meditação. A paz se encontra no nível mais sereno da mente. Quando esse silêncio e essa paz estiverem firmemente estabelecidos ao longo do tempo, a serenidade e a harmonia serão expressas nas atividades externas como paz e alegria.

TRANSCENDÊNCIA

Pergunta:
O que significa transcender o finito?

Resposta:
Transcender significa, literalmente, "ir além". Implica sair de um arcabouço de uma posição e ir para outra totalmente nova. A física quântica, por exemplo, transcende a física newtoniana. No contexto da meditação, transcender geralmente é compreendido como o processo pelo qual a atividade mental diminui sistematicamente a ponto de mudar para um estado de puro silêncio e ausência de limites. Nesse estado, as projeções condicionadas da mente, com seus processos específicos de pensamento e sentimentos, foram todas transcendidas e a percepção está livre para se conhecer. Os valores finitos da consciência foram trans-

cendidos e o indivíduo passa a conhecer a natureza infinita e imortal do Eu.

MENTE E CORPO

Pergunta:
Sei que a experiência da meditação pode ser diferente para cada indivíduo, mas preciso entender o que está acontecendo. Venho meditando de modo esporádico há mais ou menos um ano, em geral esvaziando a mente e ficando em silêncio por uma hora, mas há pouco tempo eu passei a meditar regularmente e ter a sensação física de que o meu corpo vibra, eu me sinto livre dele e a cabeça fica rodando. É como se eu estivesse bêbado! Embora seja uma sensação incrível, como se estivesse sob o efeito de drogas, eu me sinto renovado e desperto depois. Você pode explicar o que realmente está acontecendo em nível espiritual enquanto o meu nível físico vivencia isso? Como é possível que a mente possa causar essa libertação do corpo quando está silenciada nesse nível tão profundo quando sei que não sou a minha mente e nem o meu corpo? Como ela influencia o corpo? Ou a mente foi tomada pelo meu Eu espiritual e, portanto, tudo isso é causado por ele? Eu realmente agradeceria se você pudesse saciar a minha curiosidade e recomendar alguns livros que tratem dessa questão.

Resposta:
Ainda que a meditação seja um processo mental, quando a mente vivencia o silêncio, ela afeta o corpo e fornece um grau de repouso correspondente no funcionamento fisiológico, pois a mente e o corpo estão intimamente conectados. É essa

profundidade do repouso que permite ao corpo normalizar eventuais desequilíbrios que inibem a total expressão de saúde. O que você vivenciou foi uma versão mais divertida do processo bastante mundano de liberação de estresse e dos condicionamentos feito pelo corpo e a consequente sensação de rejuvenescimento e liberdade que o acompanha. Você não precisa ler livro algum sobre o assunto, basta compreender a inter-relação entre mente e corpo e como os dois funcionam de modo simbiótico durante a meditação.

DESAPEGO

Pergunta:
Estou tendo dificuldade com o conceito de desapego no dia a dia. O Gita ensina que não ter apego é crucial para compreender o verdadeiro Eu e que o véu de ignorância será erguido, revelando a magnificência do verdadeiro Eu, quando a mente e os sentidos não forem afetados pelos objetos do mundo. Como é possível desapegar e continuar sendo um pai e marido amoroso dedicado à família? Como servir a Deus no trabalho e me desapegar dessa identidade formada pelo ego?

Resposta:
O indivíduo não deve se desapegar de tudo. O desapego é um subproduto da compreensão do Eu e não um objetivo em si. O Bhagavad Gita está certo quanto à importância do desapego para a iluminação, mas o desapego é apenas uma descrição do relacionamento do Eu com o não Eu e não uma receita para obter essa compreensão. Você pode continuar sendo um marido amoroso e dedicado enquanto aumenta a compreensão do Eu e o desapego.

COINCIDÊNCIAS

Pergunta:
Passei a meditar recentemente e me considero iniciante. Desde que comecei a praticar a meditação, coisas estranhas aconteceram. É difícil explicar, mas para facilitar, darei exemplos. Ontem pensei em uma amiga com quem perdi contato há um ano e ela me ligou para conversar dois minutos depois. Eu não pensava nela há um ano e ela não me ligava desde então. E isso acontece o tempo todo em circunstâncias diferentes e com várias pessoas. Essa tendência está se tornando cada vez mais forte e gostaria de saber se é algo comum. Posso aperfeiçoar isso e usar para ajudar as pessoas de alguma forma?

Também comecei a ter vários sonhos na mesma noite, embora não me lembre de ter sonhos desde que me entendo por gente. Esses sonhos geralmente são negativos e tristes. Isso está relacionado, de alguma forma, com minha prática de meditação?

Minha avó costumava curar pessoas com as mãos e sem tocar nos pacientes. Ela estava fazendo um milagre. Seria ótimo se eu tivesse o mesmo dom.

Resposta:
Esse aumento de coincidências felizes se chama sincronicidade e, na verdade, é uma experiência bem comum para quem medita. Você pode aprender a desenvolver isso e canalizar seu poder pela atenção despretensiosa. É uma maneira de entender como as necessidades e os objetivos da sua vida individual são realizados em harmonia com o objetivo da evolução maior e universal. No livro *SynchroDestiny*, trato dessa experiência e de como usá-la conscientemente em sua vida.

A nova experiência de se lembrar dos sonhos pode ou não estar relacionada à meditação. Não há como saber e esse tipo de experiência pode ser resultado de vários fatores.

INTUIÇÃO E COMPREENSÃO DO EU

Pergunta:
Há alguma compreensão védica da intuição e ela tem algum papel real na evolução espiritual?

Resposta:
Penso que você esteja falando do que, às vezes, é chamado em sânscrito de *divya chakshus* ou *jnana chakshus*, que significa ver a verdade com o olho do divino ou o olho do conhecimento. Essa forma de cognição não se baseia nos sentidos e sim na apreensão direta da realidade não local do Eu pela percepção interna em si. Essa é a forma de percepção que os antigos videntes usavam para discernir o Brâman que tudo permeia.

LIBERTAÇÃO

Pergunta:
Quando Sidarta Gautama se tornou o Buda, supostamente exclamou: "Foi libertado." Quem exatamente foi libertado? Como estamos todos conectados em nível de consciência, o que é o conceito de libertação ou iluminação de apenas uma parte da consciência?

Resposta:
Isso não deve ser tão complicado. Quando o cerne da consciência se reconhece como não localizado, atemporal e ili-

mitado, ela está liberada da ignorância de que somos seres limitados, físicos e presos à personalidade. Então, quem estava preso é que foi libertado. Contudo, como Atman não é apenas individual, sendo também aquela realidade universal (Brâman), também se pode dizer que "Ele" foi libertado na medida em que Brâman passa a se conhecer pelo Atman que se compreendeu.

Esta libertação é vivenciada por quem se dedica totalmente a ela, como Buda. A história da iluminação de Gautama diz que, na noite da lua cheia de maio, ele entrou em meditação profunda e obteve vários tipos de novos conhecimentos. Ele viu todas as suas vidas passadas, viu como o carma funciona, como superar o desejo e o apego. Então, quando a estrela da manhã nasceu, ele teria acordado como se fosse de um sonho e supostamente declarado: "Foi libertado... O nascimento se exauriu, o que era para ser feito foi feito, não há mais o que vir..." Daquele ponto em diante, ele era o Buda, o Desperto.

PERCORRER O PRÓPRIO CAMINHO

Pergunta.
Meu marido e eu ouvimos a sua meditação "coração ou cura" outro dia. Foi a primeira vez que ele tentou meditar. Quando terminou, perguntei se tinha gostado. Ele respondeu que "não conseguiu entrar naquilo". Mas quando o vi, notei que os olhos dele estavam cheios de lágrimas. Mais tarde, perguntei se ele conseguira sentir a batida do próprio coração. Ele depois me disse que achou a meditação "esquisita". Dava para ver que ele sentiu algo que o incomodou.

Devo estimulá-lo e pedir que medite comigo de novo ou é melhor deixá-lo percorrer o próprio caminho no tempo dele?

Resposta:
Deixe-o seguir do jeito que for melhor para ele. Desde que ele conheça as opções disponíveis, você não precisa pressionar ou criar expectativas para que seu marido medite com você. Ele pode se sentir mais à vontade se puder explorar isso sozinho. E pode ficar incomodado caso sinta que há uma expectativa para seguir as práticas e os ensinamentos espirituais que você considera significativos.

MELHOR ATITUDE

Pergunta:
Você poderia explicar qual é a melhor atitude na vida, após a meditação, a fim de obter o progresso mais rápido possível rumo à iluminação com o mínimo de resistência ou esforço? Um bom caminho para isso seria meditar regularmente e depois, durante as atividades diárias, recorrer aos recursos mentais naturais de raciocínio e intuição para lidar com todas as situações da melhor forma que a capacidade mental ou nível de consciência permitir, sem pensar no processo de meditação? Além disso, o processo de usar a mente e todas as suas faculdades em alguma atividade é o mesmo para os não iluminados e os iluminados, exceto que para estes a mente está mais tranquila, feliz e mais clara e, portanto, é possível pensar analiticamente e criativamente como indivíduos da melhor forma possível para os humanos?

Alguns comentaristas confundiram as pessoas, sugerindo que após a meditação não é preciso fazer mais nada para evoluir, mas certamente é o indivíduo que precisa enfrentar problemas e desafios na vida usando sua cota atual de faculdades mentais e pensando para resolver problemas, como sempre fez desde o nascimento. Suponho que a meditação apenas aguce a mente, deixando-a mais clara, calma e estabilizada, de modo que durante as atividades diárias podemos pensar naturalmente e, portanto, fazer tudo melhor. O nível de consciência equivale ao nível de clareza e percepção da mente e isso afeta a forma pela qual lidamos com as situações na vida?

Resposta:

A evolução rumo à iluminação acontece naturalmente pelo processo alternado de prontidão tranquila na meditação e atividade fácil e confortável durante o dia. A atitude da pessoa em relação à atividade fora da meditação influencia sim, mas ela deve ir além do silêncio e não ser imposta como ideal moral externamente. E sem o apoio interno da percepção orientada para o Eu, nem as melhores atitudes em termos de pensamentos e ações adiantam muito. Contudo, é útil cultivar mais determinadas atitudes. Encarar situações tendo em vista como você pode fazer o melhor para ser útil é uma abordagem poderosa para a vida. Além disso, é muito importante abordar pessoas e eventos partindo de um lugar de aceitação e apoio. Quando você é gentil, carinhoso e protetor em relação aos outros, está nutrindo e apoiando os delicados impulsos da consciência que guiam a sua evolução. Ter uma atitude combativa, receosa e desconfiada em relação à vida acabará com esses sentimentos delicados no coração, onde surgem as primeiras movimentações de crescimento e inspiração.

A EXPERIÊNCIA DA ILUMINAÇÃO

Pergunta:
Estou muito curioso em relação à "iluminação." Ela vem na forma de um momento seguido de vários momentos, e depois todos os momentos unidos? Uma pessoa alcança a iluminação e depois morre? Como?

Resposta:
O termo iluminação é usado de formas muito diferentes no Oriente e no Ocidente. Na tradição ocidental, iluminação significa consciência elevada e não é um termo estritamente espiritual. Ele representa o progresso esclarecido para libertar escravos, permitir a liberdade religiosa e derrubar as barreiras sociais e econômicas entre as classes sociais.

Na tradição oriental, porém, a iluminação é um estado espiritual marcado pelo fim do carma e o começo da liberdade como uma alma que se conhece totalmente. Você não morre no momento da iluminação e como ela acontece em particular, dentro da sua consciência, ninguém pode dizer quem seria a pessoa iluminada mais jovem que existe.

A iluminação é um começo, não um fim. Todos os valores a que aspiramos como pessoas espirituais se tornam uma realidade viva na iluminação. Acredito que isso leve mais a uma continuidade do que a uma ruptura súbita. Pode até haver um momento de iluminação ou compreensão súbita, mas isso não é obrigatório. Em vez disso, a pessoa passa a ter níveis cada vez mais altos de liberdade de modo muito natural, adquirindo gradualmente valores de amor, compaixão, sabedoria e verdade. A iluminação absoluta é o fim dessa progressão. É uma etapa chamada unidade, na qual a pessoa não é mais limitada de modo algum, o que significa que todos os condicionamentos e falsas crenças caíram, deixando claro, de uma vez por todas, que toda a existência é feita de consciência pura e que você é esta consciência.

PRATICANTES ILUMINADOS DE MEDITAÇÃO

Pergunta:
Os sábios iluminados continuam meditando mesmo depois de terem alcançado a iluminação?

Resposta:
Sim, tradicionalmente os iluminados continuam a meditar, não porque precisem e sim para servir de exemplo a quem os procura em busca de orientação. Há exceções, claro, mas geralmente aqueles que compreendem o Eu são professores que entendem a importância de ensinar pelo exemplo.

A BUSCA DA ILUMINAÇÃO

Pergunta:
As pessoas deveriam tentar alcançar a iluminação? Às vezes, sinto que se eu me esforçar, posso conseguir algo ou despertar em algum nível. Mas aí tudo fica muito difícil e eu simplesmente desisto e sigo o caminho mais fácil. É preciso tentar acordar (do sonho) com todas as forças ou não deve haver esforço algum? A iluminação vem sem esforço? Ela

simplesmente acontece, como um dom de Deus, ou a pessoa deve fazer esforço concentrado para acordar, com seriedade e comprometimento profundos?

Resposta:

O processo da compreensão do Eu é um paradoxo entre o esforço e a ação sem esforço. A prática paciente e persistente é importante para manter um progresso significativo, mas a iluminação não é alcançada pela ação porque você está apenas percebendo o que já é. O foco na meditação e na prática espiritual é apenas para remover os impedimentos a este reconhecimento de si, que exige empenho e foco. Apesar disso, quando a mente e o corpo tiverem sido libertados do condicionamento que os limitou, o despertar em si será totalmente sem esforço e independente de qualquer ação.

Estágios da consciência

HIERARQUIAS

Pergunta:
Não entendo os termos hierárquicos que você usa, como "níveis superiores," "etapas" e "mais profundo". Isto significa que alguns pontos de vista não são apenas diferentes e sim de alguma forma melhores que outros? Isso parece se opor ao espírito de unidade e de que todas as coisas são igualmente válidas e perfeitas.

Resposta:
Você tem razão ao mencionar que na consciência da unidade tudo é apreciado por sua natureza intrinsecamente infinita, seja uma pedra, uma pintura ou uma pessoa. Contudo, essa apreciação da unidade não significa que não haja uma progressão natural de organização e integração nos processos materiais e mentais. É só isso que a hierarquia significa: graus de completude. As moléculas exibem propriedade que superam as propriedades dos átomos. Células são compostas por moléculas, mas elas exibem qualidades que vão além das propriedades moleculares. Cada completude que surge inclui a completude anterior que, por sua vez, vira parte de uma completude subsequente. Os estados superiores de

consciência são chamados "superiores" porque incluem os estados anteriores, mas transcendem esses estados, fazendo emergir um novo estado holístico que transcende todos os anteriores. Você não pode fugir da hierarquia, que é apenas a forma pela qual a diversidade é estruturada.

Alguns se opõem à linguagem da hierarquia por considerarem-na opressiva. Embora exista o potencial de um nível mais poderoso abusar do seu poder e posição dominando um nível inferior, como células cancerosas ou um ditador político, isso representa um desequilíbrio no sistema e não a inexistência da hierarquia.

CAMADAS DA ALMA

Pergunta:
Você mencionou o processo de "[retirar] as camadas da alma e [entrar] em contato com a pureza do Ser que existe dentro de você". Você explicar isso melhor?

Resposta:
A ideia de retirar as camadas para chegar à pureza do Ser se baseia no acúmulo de condicionamentos que adquirimos pela experiência e nos diz que não somos o nosso verdadeiro Eu. Essa agregação de ignorância não desaparece de imediato quando vivenciamos a nossa essência interior. O despertar em si acontece fora do tempo, mas o processo mente/corpo se desenrola ao longo do tempo e essa transformação pode dar a sensação de estar afastando camadas de condicionamentos, hábitos e questões, uma após a outra, à medida que você ganha maior percepção do Eu.

CONDICIONAMENTO ANTIGO

Pergunta:
Alcancei um nível de percepção do Eu no qual consigo ver claramente o quanto minha mente e meu corpo foram condicionados. O que faço em relação a isso? Eu me sinto um anjo preso no mármore. É necessário arrancar os comportamentos e hábitos antigos e condicionados de alguma forma ou basta permitir que eles caiam naturalmente enquanto eu me desenvolvo?

Resposta:
A ferramenta mais poderosa para transformar o condicionamento antigo é fazer o Eu não condicionado ser uma testemunha silenciosa desse condicionamento. Essa percepção silenciosa não julga nem tem terceiras intenções, pois como ela estimula a força de evolução dentro de nós, organiza o processo que libertará automaticamente a mente de suas limitações. Devemos continuar participando desse processo de modo ativo com a nossa coragem e honestidade, mas não precisamos descobrir intelectualmente o que deve ser trabalhado a seguir, basta vivenciar de modo pleno o que estiver acontecendo no presente e isso será exatamente o que precisaremos abordar naquele momento.

ILUMINAÇÃO SEM CAMINHO

Pergunta:
Algumas pessoas parecem ter alcançado a iluminação sem meditação ou sem seguir qualquer caminho específico. É essa a graça de Deus ou o bom carma? Como você explica isso?

Resposta:
Qualquer pessoa que atinja a consciência da unidade chegou a um nível muito alto de conquista espiritual, independentemente de conseguirmos ou não ver como ela chegou lá. O período em que ela ficou, enfim, livre em uma determinada vida não pode ser associado a qualquer caminho percorrido no momento. O progresso que levou àquela iluminação exigiu muitas vidas de busca espiritual. Você não encontra Deus sem procurar. Tanto o bom carma quanto a graça de Deus são fatores importantes em cada etapa da evolução, mas o bom carma sozinho não basta. O processo se chama compreensão do Eu porque, no fim das contas, é algo que você faz através do seu Eu e no seu Eu.

VIVENCIAR O TRANSCENDENTE

Pergunta:
Venho meditando há um bom tempo e a forma pela qual eu vivencio a transcendência mudou. Antes eu costumava sentir uma "queda" marcante no transcendente e depois a expansão. Agora parece que eu me ajeito na serenidade, sinto-me expandido e simplesmente percebo. É muito tranquilo, mas não perco a percepção. Ainda estou vivenciando o intervalo, o absoluto?

Resposta:
Sentir alterações na percepção enquanto passa por diferentes fases da experiência é um desenvolvimento positivo e natural da prática da meditação. A demarcação clara entre os estados silencioso e ativo da mente é algo que a pessoa supera à medida que o contraste entre ambos se dissolve junto com

a familiaridade cada vez maior com o Eu. Quando a mente obtém o conhecimento total do seu verdadeiro status de percepção ilimitada, ela continua silenciosa, parada e em paz mesmo no meio da atividade. O intervalo está disponível em todas as experiências, não importa se a mente está silenciosa ou ativa, desde que a percepção fundamental da pessoa esteja orientada para o Eu.

QUARTA ETAPA

Pergunta:
É verdade que, mesmo após muito tempo meditando (vários anos de meditação, em alguns casos), o quarto estado de consciência pode não ser vivenciado claramente por muitos praticantes?

Se nenhuma experiência concreta foi vivida até hoje, pode-se dizer que a maioria das pessoas que medita mergulha nesse estado, ainda que por um período de tempo brevíssimo, mas devido à "neblina interna" não tem lembranças claras disso?

Ouvi um mestre usar a analogia de "caminhar na ponta dos pés por um campo de elefantes dormindo" para descrever a chegada a esse estado na meditação, mesmo que a nossa fisiologia ainda contenha estresse acumulado (nessa analogia, os elefantes dormindo seriam o estresse não liberado.)

Resposta:
A analogia de passar na ponta dos pés por uma manada de elefantes dormindo é uma imagem usada por Maharishi para descrever o quanto a percepção permite vivenciar a natureza essencial mesmo antes de a pessoa ser total-

mente iluminada, enquanto ainda há grandes estresses no sistema nervoso.

Portanto, a pessoa pode vivenciar o silêncio interior e obter o benefício daquela experiência mesmo antes de ter clareza total em relação à experiência. É possível que a experiência do Eu durante a meditação fique turva ou enevoada por alguns anos, mas continuará trazendo sua influência transformadora e purificadora na vida diária mesmo assim. Essa influência evolutiva é mais importante do que a clareza com que recordamos a experiência de consciência pura depois.

VISÕES GEOMÉTRICAS

Pergunta:
Enquanto dormia, vi umas formas geométricas lindas e extremamente intrincadas. Eram simétricas e pareciam cristais. Embora a visão fosse vívida no momento, não consegui lembrar-me dela depois ou desenhá-la. Nunca tive este tipo de sonho lúcido antes. Você tem alguma ideia do que vivenciei?

Resposta:
Sempre que passamos de um estado de consciência para outro, passamos por um estado de transição que é o intervalo. Ao sair da percepção do estado desperto para a percepção tranquila ou samadhi durante a meditação, nós vivenciamos o intervalo. E toda vez que dormimos e acordamos, também vivenciamos o intervalo por alguns momentos. Às vezes, quando as condições estão certas, podemos notar as estruturas e dinâmicas desse reino quântico. Pode-se pensar nelas como a geometria sagrada da criação ou yantras, se

desejar. É algo como o que Platão descreveu como o reino das formas. Nem todos vivenciarão isso da mesma maneira. Quem tem mais sensibilidade auditiva pode ouvir um tipo de música celestial, enquanto outros podem sentir uma luz líquida ou até um gosto doce. Contudo, estamos propensos, naturalmente, a vivenciar esse campo sempre positivo, curativo e protetor, que nos alinha e aproxima das fontes do nosso potencial criativo.

MUDANÇA NA PERCEPÇÃO

Pergunta:
Enquanto dirigia meu carro no mês passado, tive uma mudança súbita na percepção. O primeiro plano do meu corpo, os carros, o barulho, o rádio e os faróis pareceram ficar em segundo plano, enquanto a minha percepção como espaço, observando o meu corpo dirigindo, vendo e ouvindo, ficou aguçada. Eu me senti incrivelmente tranquilo e vivenciei uma alegria profunda e suave. É difícil descrever, mas eu me conheci enquanto percepção. A sensação durou algumas horas e agora vivencio isso com bastante frequência. Não entendo como isso aconteceu, por que acontece ou o que é. Está fora do meu controle. É perturbador quando a mudança acontece enquanto estou dando aula aos meus alunos. Gostaria de saber sua opinião sobre isso.

Resposta:
Essa experiência é um bom exemplo da natureza testemunhal do Eu superior despertando. É uma presença calma e alegre que está sempre dentro de nós e, quando a percebemos, ela não ofusca nem obscurece o foco mental e a

acuidade sensorial do mundo exterior, na verdade, a aumenta. Essa é a natureza paradoxal do desapego puro: ele nos remove da influência vinculante da percepção e nos permite vivenciar a vida plenamente como se fosse a primeira vez.

Essa mudança rumo à consciência orientada para o Eu só parece perturbadora agora porque você não entendeu a experiência e ainda não se acostumou totalmente a ela. Na verdade, esse estado de atenção primária no Eu é a percepção humana normal e à medida que você se dá mais oportunidade de reconquistar esse estado fácil e alegre de viver, ele se estabilizará e será permanente. Isso é a iluminação.

DÚVIDAS NO CAMINHO

Pergunta:
Estou tendo dúvidas sobre as crenças de um caminho que venho seguindo com seriedade. Este caminho, Akram Vignan do Dada Bhagwan, tem uma cerimônia de iluminação em que o indivíduo pode ter uma experiência direta da Alma Pura, após a qual ele segue cinco passos básicos para a vida, que vão levá-lo ao moksha. Esse caminho não considera a meditação útil para o desenvolvimento espiritual. Ela é considerada uma experiência das fases da mente, mas não uma experiência direta da alma. Eu vinha meditando e lendo bastante até encontrar este caminho, há um ano. Não sei o que penso sobre Deus, mas estava procurando uma conexão espiritual.

Recentemente, comecei a questionar por que esse caminho não considera a existência de um Deus criador da humanidade e do universo. Deus estaria simplesmente dentro de toda a vida e o universo seria criado por "evidências científicas circunstanciais". Uma parte de mim acredita em um poder superior de onde viemos e com o qual podemos nos conectar. Também sinto que a meditação é sem dúvida uma forma de conexão e uma verdadeira ferramenta espiritual que também pode levar à libertação final.

Minhas questões sobre abandonar o caminho: tentarei meditar novamente. Porém, estou confuso e temo que se retomar a meditação por conta própria, poderei me perder ou não progredir como faria com auxílio de um guia. Eu li que a meditação exige um professor para ajudar a navegar e a permanecer no caminho certo, ou seja, eu deveria buscar um professor, um guia iluminado. Mais uma vez, temo não encontrar um guia e ensinamentos que eu aceite totalmente. Fico preocupado, pois ouvi dizer que uma pessoa pode ser enganada (por exemplo, ser levado a deixar o caminho atual). Então será que posso confiar no meu julgamento? Eu não deveria ser capaz de dizer qual é o caminho certo para mim quando o encontrar? Você acredita que a orientação correta sempre virá para quem pede ajuda ao universo fervorosamente?

Resposta:
Penso que sua preocupação com o fato de esse caminho não aceitar a existência do Deus criador se trata apenas de um problema semântico. Se você está se beneficiando dele, não se preocupe. Há muitos bons professores, cada um com dons diferentes, trabalhando ativamente para ajudar o planeta durante essa transição de fase. Todos estão ajudando à sua própria maneira e cada um será eficaz para diferentes segmentos da população. Então, caso você se sinta fortemente atraído por um ensinamento, pesquise mais e veja se tem algo que lhe sirva.

Fico feliz por você retomar a meditação. Ela é de importância vital. A meditação eficaz leva você além de todas as fases da mente na direção da alma, da consciência pura, de modo que os ensinamentos do Akram Vignan estão mal informados em relação a isso, assim como outros que desvalorizam a importância da meditação.

Não tenha medo de se perder meditando por conta própria, sem um guia. A meditação foi feita para ser praticada individualmente e despertar o professor que há em você. Não há como se perder sem um guia desde que seu objetivo seja o nível mais alto de iluminação. Contudo, se você precisa de um professor por algum período, inevitavelmente surgirá um para você.

Eu diria, ainda, que você precisa ser capaz de não levar a sério quando um professor diz que o caminho dele é o único ou o melhor e que o seu caminho atual está errado. Há alguns ensinamentos maravilhosos que ainda se prendem a essa visão de exclusividade e promovem as próprias ideias acima de todas as outras, mas isso não deve impedi-lo de aproveitar boas oportunidades de evoluir quando elas aparecerem e tiverem algo que possa lhe beneficiar muito. Isso também não deve confundi-lo nem levá-lo a pensar que tais alegações de verdade exclusivas significam algo. A humanidade ainda precisa passar por muita transformação espiritual e é importante que reconheçamos o valor e o papel de todas as tradições e práticas de sabedoria. Se nos atermos ao que elas têm em comum, todos nós conseguiremos alcançar o grande processo do despertar global de maneira mais eficaz.

VOAR

Pergunta:
Quando era criança, eu costumava devanear que estava voando. Na vida adulta, é claro, superei essa fantasia. Contudo, agora que estou na casa dos 50 anos, me pego relembrando estes devaneios. Não parece algo tão absurdo.

No livro Como conhecer Deus, *ao discutir a resposta de sexto nível durante a qual "milagres" acontecem, você até deu exemplos de santos que levitam. Eu li sobre São José de Cupertino, que foi preso pela igreja porque voava. Acredito que não se trata de aprender a voar e sim de relembrar. Você realmente pensa que é possível?*

Resposta:
Na etapa de Resposta Visionária, todos os atos miraculosos se tornam possíveis porque a consciência passou a se identificar com o processo criativo de manifestação. As limitações das leis da natureza no reino físico não dão mais a última palavra. Agora a percepção pode funcionar a partir desse campo que gera as leis da existência física utilizando leis da natureza que transcendem essas limitações. Praticamente todas as tradições espirituais registram a ocorrência do voo físico como consequência do florescer total do desenvolvimento humano. Ao mesmo tempo, todos esses ensinamentos declaram firmemente que tais habilidades não devem ser buscadas apenas por si, pois isso alimentaria a ideia de poder do ego e adiaria a libertação total.

Gosto da história de voo contada pelo monge budista Fa-hsien em seu livro *The Travels of Fa-hsien*:

"Há um país chamado Decão, no qual há um monastério dedicado ao Buda Kashyapa escavado em uma grande pedra. Ele tem cinco andares no total [...] Há sempre Lo-han (santos budistas) residindo aqui. A terra não é cultivada e não há habitantes. Apenas a uma grande distância da montanha existem vilarejos, onde todos os habitantes são pagãos e nada sabem da Fé Budista, dos Xamãs, Brâmanes ou de qualquer outra religião heterodoxa. Eles frequentemente veem pessoas que chegam voando ao monastério e uma vez, quando adoradores budistas vieram dos países vizinhos para rezar nesse monastério, um dos habitantes do vilarejo perguntou: 'Por que vocês não voaram até aqui? Todos os adoradores que vi por aqui voam.' 'É porque nossas asas ainda não cresceram', responderam os adoradores sem hesitar."

DESEJOS E VIVER O MOMENTO

Pergunta:
Como conciliar o paradoxo de apreciar totalmente a completude do momento e o conhecimento de que os desejos mais profundos de um indivíduo permanecerão sem ser realizados?

Resposta:
Quando você está totalmente no momento, tem o conhecimento total da natureza interior e isto traz contentamento à mente. Então, na verdade, os seus desejos mais profundos *são* realizados quando você está apreciando o momento. Os desejos externos, que podem não estar conectados com o seu estado interior, é que não são realizados. Isso talvez seja um indício de que esses desejos externos podem não ser tão importantes ou úteis para a sua vida como você pensava. Também pode ser que simplesmente ainda não seja a

hora para que esses desejos sejam realizados. Seja qual for o caso, quando uma pessoa está em estado de realização e vivendo o momento, não há apego ou sofrimento associado a desejos externos.

A VIDA NA ETAPA 7

Pergunta:
Acabei de ler Como conhecer Deus *e agradeço por esse livro maravilhoso. Como um indivíduo que conhece Deus nas etapas 6 ou 7 age na vida diária? Por exemplo, ele ainda se preocupa, ama e é responsável pelo bem-estar material da esposa e dos filhos? Ainda tem um emprego, casa e vive ativamente em sociedade? Ou renuncia a todas as coisas do mundo (incluindo esposa e filhos)?*

Resposta:
O crescimento rumo aos estados superiores de consciência não muda os relacionamentos sociais e familiares do indivíduo. Ele pode estar na consciência da unidade e continuar próximo, sustentando a família e mantendo-se interessado pelo mundo. Uma vida santa não precisa ser uma vida de isolamento e renúncia. As pessoas tendem a associar a iluminação com privação material e isolamento emocional. Não há qualquer correspondência entre o estado interior de consciência e o comportamento externo do indivíduo. Ter uma vida ativa na sociedade ou uma vida de renúncia é uma questão de disposição e não de iluminação.

MEDITAÇÃO

Pergunta:
Li As sete leis espirituais do sucesso *várias vezes, mas ainda preciso ler de novo para entendê-lo totalmente. No primeiro capítulo, "Lei da Potencialidade Pura", você mencionou que precisamos observar o silêncio. Pelo que entendi, isso significa acalmar o diálogo interno. Como fazer isso? Paro de pensar ou escolho o que pensar e o que não pensar? Precisamos pensar para executar as atividades do dia a dia, certo? Então, quem aprendeu a calar o diálogo interno não pensa em mais nada além do que é exigido pelas atividades diárias? Estou tentando observar o silêncio, mas está ficando difícil. Vejo muitos pensamentos indo e vindo e, como eu os observo, acabo me sentindo inseguro e começo a pensar: por que esses pensamentos? Como pará-los? É como se eu estivesse perdendo o contato com o mundo exterior e tenho medo, pois estou mudando e não sei para onde isso vai me levar. Por favor, ajude-me a entender essa situação corretamente.*

Ademais, a meditação também não é isso? Quando você medita, interrompe os pensamentos ou para de se envolver neles e tenta expandir o intervalo. Então, é meio como silenciar a mente, certo?

Resposta:
Você tem razão. Quando falo em vivenciar o silêncio da potencialidade pura, estou falando sobre a meditação silenciosa. Pela minha experiência, ela é o meio mais eficaz de entrar em contato com o Eu silencioso interno. Tentar silenciar o diálogo interno durante as atividades diárias é contraproducente porque não podemos parar ou minimizar os pensamentos. A própria tentativa já aumentará a ativi-

dade mental. Tentar observar ou testemunhar o silêncio durante o dia também complicará a percepção em vez de simplificá-la. O valor testemunhal da consciência é um estado que surge através do despertar do Eu. É uma presença que se nota, mas não é uma perspectiva que podemos sobrepor de modo deliberado à experiência presente.

Quando a consciência despertar totalmente para si através da prática da meditação, ela será automaticamente uma testemunha silenciosa de todos os nossos pensamentos e atos e nós manteremos o silêncio interior durante as atividades diárias.

COMPREENSÃO TOTAL

Pergunta:
Você disse: "Imagine um estado em que a mente está calma, sem um resquício de pensamento sequer. Neste estado você fica consciente do eu interior, sabe quem você é, sente a força interior. A felicidade inerente a cada um de nós surge quando as paredes dos pensamentos são removidas. Nesse estado não há compulsão de pensar."

Você acha que esse estado mental é suficiente? Não devemos todos sair e tentar obter a compreensão total como Buda, Ramakrishna Paramahamsa e inúmeros outros santos tão conhecidos? Um desses santos (possivelmente Ramakrishna Paramahamsa) disse que você não vai compreender Deus totalmente a menos que O deseje da mesma forma que deseja o ar quando está embaixo d'água. Por favor, comente isto.

Resposta:
O estado de Percepção Tranquila, quando a consciência passa a perceber a luz, felicidade e o silêncio interiores, não

é o objetivo final da evolução, mas representa o principal ponto de virada da ignorância para a iluminação. Os estados superiores de consciência, como a consciência cósmica, consciência de Deus e consciência da unidade, representam os níveis maiores de compreensão que você menciona. O desejo de se unir a Deus surge espontaneamente à medida que ficamos mais íntimos do reino quântico da realidade. Uma vez que sentirmos o gosto do néctar celestial sublime, não ficaremos satisfeitos com nada diferente da união absoluta com o Divino.

Começando a meditação

O FENÔMENO DA MEDITAÇÃO

Pergunta:
Após ler um dos seus livros, comecei a meditar como você sugeriu. Depois de algumas semanas, comecei a vivenciar um fenômeno incomum quando meditava, geralmente durante minha segunda sessão de meditação diária.

Enquanto ouvia o som da minha respiração fazendo o som de so-hum, comecei a sentir um calafrio na nuca, na cabeça, e tinha a sensação de que minha cabeça havia transposto algum tipo de barreira. A escuridão que vejo de olhos fechados fica ainda mais escura e tenho a convicção de que estou em um estado diferente de consciência. Isso dura apenas uns trinta segundos, depois some e volto ao estado normal. O que é isso? Você tem alguma experiência com esse tipo de sensação?

Resposta:
Esse tipo de experiência não é incomum para quem começa a prática da meditação. Os detalhes exatos da sensação podem variar, mas a ideia geral é de que o corpo está respondendo ao silêncio profundo vivenciado pela mente e isso pode gerar alguma normalização física, dando origem

a várias sensações. A forma de lidar com isso é não prestar muita atenção e continuar tranquilamente a meditação. As sensações pararão quando esses antigos estresses forem liberados e curados.

SILÊNCIO E MEDITAÇÃO

Pergunta:
Ouço você falar com frequência sobre a importância do silêncio e da meditação em seus livros, além das gravações em áudio e vídeo. Imagine alguém que viva em uma cidade populosa e barulhenta como Bombaim, onde há ruídos 24 horas por dia. Como é possível testemunhar o silêncio e meditar? Tenho certeza de que você tem uma resposta para superar esta situação.

Resposta:
Podemos vivenciar a fonte do silêncio profundo dentro de nós através da meditação mesmo se estivermos em um ambiente barulhento. Quando meditamos, nossa atenção viaja para dentro, rumo a níveis mais silenciosos da mente até vivenciar o campo do silêncio puro. Quem medita pode ouvir ruídos ou conversas ao redor, mas isso não interfere na experiência do silêncio interior. Além disso, é importante não lutar mentalmente contra os ruídos ouvidos durante a meditação porque isso direcionará a atenção para fora, para longe do silêncio interior. Tenha em mente que o ruído não é uma barreira para a meditação eficaz e mantenha uma atitude neutra em relação a ele quando meditar.

INTENÇÕES E MEDITAÇÃO

Pergunta:
Você poderia explicar melhor a sua resposta recente sobre intenções e meditação? Acredito que você disse que há meditações específicas para manifestar e outras para o testemunho silencioso e as duas não devem se misturar. Ainda não está claro como fazer a meditação de manifestação e com que frequência ela deve ser feita para se obter resultados. Sei que você já falou sobre liberar as intenções no "intervalo", mas é vago demais. Devo fazer isso apenas algumas vezes durante a meditação? Devo visualizar? Além disso, com que frequência a meditação de manifestação deve ser feita em relação à meditação de testemunhar o silêncio? Procuro equilibrar o meu despertar espiritual com o desejo por certas posses/objetivos pessoais. Não quero negligenciar o despertar espiritual em prol de conquistas pessoais ou vice-versa, mas preciso de mais clareza.

Resposta:
Deve-se praticar a meditação silenciosa regularmente todos os dias e não se deve envolver qualquer procedimento para manifestar desejos durante esta prática. A meditação de manifestação pode complementar a outra meditação caso você sinta necessidade de acelerar a realização dos seus desejos. Talvez você perceba que a meditação de manifestação nem é necessária. As instruções para a meditação de manifestação são vagas por isso, por não haver um conjunto de regras para o quanto você deve fazê-la. Se quiser, pode fazê-la todos os dias ou sempre que sentir necessidade.

Há vários tipos de meditação para realizar desejos. Algumas envolvem repetir intenções e outras, visualizações.

Use o que funciona melhor para você. Destaquei algumas que recomendo em meus livros e seminários. Algumas práticas exigem que primeiro você se estabilize o suficiente para descobrir o que o seu coração realmente quer. Essas serão as intenções que realizarão o seu desejo de modo equilibrado e harmonioso e vão trazer maior benefício para você e para todos.

Através da prática da meditação silenciosa, você estabelece um nível de referência profundo em termos de percepção a partir do qual as intenções podem se manifestar. A ideia básica por trás dessas meditações de manifestação consiste em primeiro se estabilizar em um estado sereno de percepção simples, depois apresentar calmamente a sua intenção e deixá-la afundar naquele silêncio. Isso é liberar a intenção no intervalo. Em seguida, permita que a sua atenção retorne àquele silêncio abstrato por alguns momentos (meio minuto ou mais) e volte a apresentar sua intenção para o silêncio. Você pode continuar a fazer isso por cinco ou dez minutos.

MEDITAÇÃO DE 24 HORAS

Pergunta:
A meditação de 24 horas é realmente possível? E as ocasiões em que você está fazendo algo tão casualmente sem perceber a si mesmo (por exemplo, quando arruma a cama sem se dar conta do que está fazendo)? É bom não perceber a si mesmo (significando que você está fazendo algo sem interferência da mente, sem qualquer ideia sobre si mesmo)? Ou a meditação de 24 horas significa você sempre ter de perceber a "testemunha silenciosa" interna? Então, qual é a diferença entre um verdadeiro "lapso", que precisa

ser tratado, e fazer algo "sem a mente"? Seria bom se você pudesse esclarecer esta confusão.

Resposta:
A questão não é que você deva praticar a meditação 24 horas por dia e sim que a vigília interior da testemunha silenciosa esteja presente 24 horas por dia. Quando se está testemunhando, o silêncio e a quietude da meditação permeiam todos os pensamentos e atos diários, bem como o sono e os sonhos. Da mesma forma, a intensidade da vida ativa não atrapalha ou dissipa mais aquela quietude interior. A atividade se transforma em uma expressão daquele silêncio e júbilo puros. Você não pode tentar perceber esta testemunha: ela está desperta ou não está. Esse estado de testemunhar não é algo que possa ser cultivado intelectualmente, emocionalmente ou através do comportamento. É a expressão natural de aumentar a consciência que ilumina e está orientada para o Eu.

MEDITAR DE COSTAS

Pergunta:
Há algum problema em deitar de costas ou de barriga para baixo durante a meditação? Eu me sinto melhor deitado com o rosto virado para baixo na cama ou em uma cadeira reclinável de modo que o meu corpo esteja completamente desprovido de qualquer atividade neuromuscular. Como esse não é o estilo tradicional de meditar, fica a pergunta.

Resposta:
É preferível sentar-se com a coluna reta durante a meditação, pois isso ajuda a cultivar o estado de alerta que auxilia na

percepção tranquila da meditação. Se você estiver doente demais para ficar sentado, pode meditar deitado, mas assim que melhorar, deve meditar sentado com a coluna reta. Ao longo da vida, a mente foi condicionada a dormir quando o corpo estiver deitado, então, quando você medita deitado, a mente e o corpo automaticamente ficarão mais sonolentos em vez de mais alertas.

MEDITAÇÃO PELA MANHÃ

Pergunta:
Vivenciei uma linda experiência de meditação recentemente. Não conseguia dormir certa noite, então, comecei a meditar às quatro da manhã. Após algum tempo, minha respiração e as fronteiras do meu corpo físico desapareceram. Não senti a separação entre o ar ao meu redor no quarto e o meu corpo, mas senti o meu corpo como ar/energia. Mesmo pensando que as fronteiras do meu corpo tinham sumido, a sensação de tranquilidade ainda foi forte. (Geralmente quando os pensamentos começam a pipocar, a experiência da meditação se esvai.) Passado algum tempo, senti um peso no coração e não consegui mais meditar. Após sair da meditação, também fiquei bastante renovado, como se tivesse tido um sono profundo e tranquilo, e não senti a necessidade de dormir depois. Por gentileza, você poderia me dizer o motivo desse peso no coração e a que horas você se levanta para meditar? Ouvi dizer que às quatro da manhã é um bom momento para meditar. Ficaria grato se você pudesse explicar o desaparecimento das fronteiras do corpo físico. O que isso significa?

Resposta:
O início da manhã vem sendo recomendado pelos sábios ao longo dos tempos como o momento ideal para meditar por ser o momento mais silencioso do dia. Diz-se que há uma energia especial e revigorante associada a ele que torna esse período particularmente bom para a prática. A sua experiência de ausência de limites físicos e suspensão da respiração são fortes indícios de meditação profunda. O peso no coração subsequente mostra que você liberou alguns bloqueios emocionais muito profundos durante a meditação, o que gerou essa sensação. Essa experiência também é boa, pois significa que você está se livrando dos antigos condicionamentos do passado e se abrindo para períodos ainda mais longos e intensos de profundo silêncio em meditação.

PROSSEGUIR COM A MEDITAÇÃO

Pergunta:
Como é possível prosseguir com a meditação quando tenho um milhão de coisas a fazer todos os dias? Já tive problemas no passado para prosseguir com a meditação, mas estou experimentando algumas técnicas novas. Além disso, como é possível prosperar na prática mesmo enfrentando esses períodos difíceis?

Resposta:
Tenha em mente que meditar é a melhor preparação para as suas atividades diárias. Ela fará com que economize tempo porque o deixará mais eficiente, além de menos estressado e cansado, facilitando todas as tarefas. Uma vez definida a

prática de meditação como prioridade diária sobre as outras milhões de coisas que está fazendo, você não precisará mais desperdiçar energia decidindo se meditará ou quando o fará. Você simplesmente meditará automaticamente, sem pensar muito, como escova os dentes. Essa atitude também ajudará a enfrentar períodos difíceis, pois você não estará reavaliando se vai meditar todos os dias com base no seu humor ou nas expectativas. Por saber que a meditação o está ajudando independentemente de tudo disso, você simplesmente pratica.

FIM DA MEDITAÇÃO

Pergunta:
Sinto que a meditação não é mais necessária quando o ponto de referência do indivíduo é o do observador. Você concorda com isso? Tenho um pouco de dificuldade quando penso estar solidamente estabelecido como o observador, mas algum evento qualquer fica remoendo na minha mente e é difícil me afastar e dar um passo para trás como o observador. Isso, obviamente, significa que não tenho raízes tão sólidas quanto pensei.

Eu o tenho em alta estima como um dos meus professores. A pessoa deve procurar algum sinal específico a fim de observar o progresso nessa jornada para viver como o grande mistério?

Resposta:
Quando chegamos a um período harmonioso na prática da medição, no qual nos sentimos muito calmos e centrados, é fácil supor que chegamos ao objetivo e não precisamos mais

meditar. Esse tipo de pensamento raramente está correto e é um desserviço ao nosso objetivo geral rumo à liberdade espiritual.

Quando a percepção for naturalmente capaz de permanecer na consciência pura o tempo todo, não será mais necessário utilizar a forma de meditação que tem por objetivo fornecer aquela experiência do Eu. Porém, esse nível de consciência do Eu é apenas o começo do despertar espiritual completo e há várias outras formas de meditação úteis após esta etapa.

Um importante sinal de progresso é a experiência da testemunha silenciosa nas atividades diárias e no sono. Além disso, embora seja um sinal definido com menos clareza, a experiência de que mais e mais desejos estão sendo realizados espontaneamente e sem esforço é um bom indício de que você está conseguindo um crescimento sólido em sua jornada.

BRAHMA MUHURTA

Pergunta:
Ouvi falar que o melhor horário para meditar é bem cedo, por volta das quatro da manhã, e que os iogues têm uma palavra especial para isso. Você pode me dizer se isso é verdade e, se for, por que esse é um período melhor que os outros para meditar?

Resposta:
Há um período de tempo, aproximadamente entre uma e duas horas e meia antes do pôr do sol, conhecido como Brahma Muhurta, quando se considera que toda a natureza

está em seu estado mais profundo de repouso no ciclo de 24 horas. Esse momento de quietude, frescor e pureza é considerado vantajoso para a meditação porque a mente ficará menos agitada. Usar essa paz, quietude e clareza no ambiente pode auxiliar a prática de estabilizar a mente para que revele a sua natureza essencial.

Muitos dos ideais de meditação podem ser úteis se você puder incorporá-los à rotina sem esforço, mas não pense que precisa se obrigar a adotar tal prática caso ela simplesmente não funcione para você. A regularidade da prática da meditação é mais importante do que o horário em que é realizada.

DURAÇÃO DA MEDITAÇÃO

Pergunta:
Em alguns dias, eu medito por até duas horas, mas ouvi dizer que meditar demais pode ativar muitas ondas lentas do cérebro. "Isto rompe as nossas defesas naturais. O material emocional é liberado e vem à superfície, o que não só distrai a pessoa como pode oprimi-la e deixá-la tensa, produzindo hormônios relacionados ao estresse como o cortisol. As pessoas não são feitas para ficarem abertas desse jeito. Esse é um dos perigos do excesso de meditação." Algum comentário sobre isso? Como saber por quanto tempo devo meditar? Estou confuso porque ouvi falar que é possível meditar por até duas horas durante a manhã e também no fim da tarde.

Resposta:
O valor da meditação vem do que ela traz para a nossa vida em termos de mais energia, amor e percepção orientada para

o Eu. A meditação não é o objetivo em si. Portanto, a regra quanto à duração é que ela deve ser longa o bastante para fornecer o descanso e o contato profundo com o Eu, mas não tão longa que não seja possível integrar facilmente os efeitos da meditação na vida diária. Não é uma questão de as pessoas não serem feitas para ficar "abertas desse jeito" e sim de como elas conseguem equilibrar bem o descanso profundo da meditação com a atividade produtiva para que possam evoluir.

Meditar demais às vezes deixa a pessoa "aérea". Geralmente, para um adulto envolvido em atividades e responsabilidades normais, considera-se de vinte a trinta minutos, duas vezes ao dia, um bom parâmetro. Se você quiser mudar o período de tempo pelo qual medita, veja com seu instrutor. Caso você deseje meditar por períodos de tempo muito longos, recomenda-se passar alguns dias em um ambiente onde você não precise trabalhar ou dirigir e possa dedicar-se apenas a aprofundar seu conhecimento e sua experiência.

DURAÇÃO DA MEDITAÇÃO

Pergunta:
Estou lendo um livro sobre meditação, no qual se afirma que quanto mais tempo você medita, mais rápido verá os benefícios. Contudo, me disseram que de vinte a trinta minutos, duas vezes por dia, bastam.

Resposta:
Os benefícios da meditação vêm de alternar de modo equilibrado a meditação com as atividades diárias, então apenas acrescentar mais meditação sem a atividade correspon-

dente para integrá-la não necessariamente trará benefícios mais rápidos. Para a maioria das pessoas ativas no mundo, considera-se de vinte a trinta minutos de meditação, duas vezes ao dia, uma quantidade equilibrada.

VALOR DA MEDITAÇÃO

Pergunta:
Algumas pessoas me disseram que a meditação não é necessária para o crescimento espiritual. Você disse que meditação, purificação e atenção são os principais ingredientes para se chegar à iluminação. Há algo que a meditação pode fazer que a purificação e a atenção sozinhas não consigam?

Resposta:
A meditação não é necessária se a percepção do indivíduo estiver permanentemente estabelecida na consciência orientada para o Eu. Se a testemunha silenciosa estiver totalmente desperta para todas as experiências dia e noite e todos os aspectos da vida contarem com apoio total da energia infinita e inteligência do cosmos, não se exige uma prática espiritual.

O diferencial da prática da meditação é a capacidade de tirar você do processo mental. A importância singular da meditação está em sua função paradoxal de usar a mente para transcender a mente, pois apenas ao sair da atividade de pensar e fazer é que conhecemos o nosso Eu, a nossa verdadeira natureza essencial além do tempo, do espaço e da causalidade. Essa experiência é a condição *sine qua non* do crescimento espiritual. Esse contato direto com a natureza interior é mais importante do que todos os conceitos espirituais, filosofias ou crenças em que possamos nos concentrar. Com a experiência do Eu, as práticas da atenção e da purificação passam a ser verdadeiramente eficazes.

EXPERIÊNCIAS MUNDANAS DE MEDITAÇÃO

Pergunta:
Venho meditando há muitos anos e visito regularmente o seu fórum de mensagens e o site, que acho estimulantes. Leio as várias postagens lindas sobre as experiências individuais e preciso dizer que, às vezes, sinto um pouco de inveja e frustração.

Minhas experiências até hoje não têm qualquer semelhança com as descrições que leio. Parece que estou "empacado". Tenho 30 e poucos anos e adoraria ter pelo menos uma experiência que mudasse toda a minha perspectiva em relação à vida e me permitisse ser mais paciente comigo mesmo quando me irrito, julgo as pessoas etc.

Eu transcendo, o metabolismo e a respiração diminuem e o meu mantra se reduz a um leve impulso, mas junto com o mantra há um "ruído de fundo" dos meus pensamentos e não vou adiante. Devo apenas ser paciente por enquanto e ter na minha percepção que eu gostaria de vivenciar uma experiência assim?

Resposta:
Não se preocupe em ter experiências vistosas. O que realmente importa no crescimento espiritual é o grau de percepção do Eu que você cultiva e isso não tem nada a ver com experiências dramáticas ou intensas. A sua prática de meditação parece correta, então, é apenas uma questão de reconhecer que está fazendo exatamente o que precisa e lidar com isso.

Não crie a expectativa de que uma experiência surja da meditação. Apenas saiba que o seu progresso está acontecendo exatamente como deve e qualquer experiência da qual você precise acontecerá automaticamente.

BLOQUEIO MENTAL

Pergunta:
É possível liberar um bloqueio mental através das técnicas de meditação em oposição ao tratamento psicológico para o problema?

Resposta:
Certamente. A meditação ativa o processo terapêutico natural dentro de nós e, muitas vezes, pode resolver obstáculos duradouros. Não posso ser taxativo e afirmar que ela é o único fator necessário no seu caso em particular. Porém, mesmo se você precisar de algo mais, como psicoterapia, para superar este bloqueio mental, a meditação será uma base importante para qualquer outra modalidade.

MEDITAÇÃO MAIS PROFUNDA

Pergunta:
Eu li um de seus livros e venho meditando. De uns tempos para cá, pareço ter chegado a um platô e não consigo atingir um nível mais profundo de meditação. Como mudar isso?

Resposta:
Uma das concepções errôneas mais comuns sobre a meditação é a de que ela deve ser uma progressão ininterrupta de

níveis cada vez mais profundos de silêncio, júbilo e paz. Tal expectativa é contraproducente porque deturpa a verdadeira experiência da meditação.

Durante a meditação, mente e corpo mergulham no silêncio e emergem em pensamentos várias vezes. Esse ciclo entre profundidade e superfície da mente é um ritmo natural e necessário de meditação no qual o corpo libera o estresse e a mente ganha vislumbres da sua verdadeira natureza. Não é preciso se preocupar em se aprofundar na meditação, isso acontece naturalmente. A profundidade da percepção que precisamos vivenciar naquele momento estará automaticamente disponível para nós. Não é necessário encontrar um jeito de se aprofundar, pois o processo de meditação em si propiciará a experiência perfeita para o nosso crescimento toda vez que nos sentarmos para meditar.

PROLACTINA

Pergunta:
A meditação e o pranayama estimulam a ação da prolactina? De que forma?

Resposta:
Alguns estudos sobre Meditação Transcendental indicam um leve aumento no nível de prolactina no plasma após a meditação. Além disso, um estudo mais recente que analisou a meditação de atenção plena como parte da prática de hatha yoga por três anos também mostrou aumento no nível de concentração da prolactina. Pode haver mais estudos afirmando que o pranayama afeta o nível de prolactina, mas não tenho conhecimento deles.

A prolactina é um hormônio produzido na glândula pituitária e encontrado tanto em homens quanto em mulheres. É mais conhecido por seu papel na lactação, mas recentemente se descobriu que ele atua em transtornos de humor como a bipolaridade. Ao dar à mente/corpo a experiência do cerne da inteligência interior, podemos colocar o nível de prolactina e de todos os outros complexos de hormônios de volta ao equilíbrio e, com isso, fornecer uma base fisiológica para a felicidade, a paz e o otimismo. Alguns professores de yoga até sugerem que a prolactina é o hormônio mais intimamente ligado ao chakra do coração e aos sentimentos correspondentes de amor e compaixão. Partindo desse ponto de vista, a restauração saudável da prolactina também serve como indício de uma abertura mais espiritual do coração para o amor divino.

MEDITAÇÃO NO ALTAR

Pergunta:
Tenho um altar montado com imagens sagradas. Devo meditar sentado na frente desse altar? Há alguma diferença espiritual? Se houver, como isso ajuda nas minhas meditações?

Resposta:
Sentar-se em frente ao seu altar é adequado para a meditação, mas qualquer lugar silencioso, limpo e confortável será igualmente eficaz. Muitas pessoas acham que ter um altar sagrado montado em casa é uma boa forma de lembrar a si mesmo de honrar aquele lugar espiritual dentro do coração. Se você está praticando um tipo de meditação de olhos abertos ou se estiver praticando algum tipo de ritual

espiritual com suas imagens, faria sentido usar o altar para isso. Meditar no mesmo lugar todos os dias também gera um benefício residual naquele espaço, que fica embebido da atmosfera serena e, ao longo do tempo, pode ajudar a pessoa a se estabilizar naquele estado pacífico mais rapidamente.

MOTIVAÇÃO PARA MEDITAR

Pergunta:
Li recentemente um dos seus livros, SynchroDestiny, *e venho trabalhando nas meditações. Experimentei várias outras formas de meditar e fiquei mais espiritual. Isso inclui aulas de meditação no centro budista do meu bairro e um curso intensivo de meditação vipassana. Descobri que uso as meditações por um tempo e depois tendo a "sair do rumo". Abandono por um tempo e depois retomo! Sempre pareço ser chamado de volta à espiritualidade.*

Durante os cursos, tento manter o foco e usar os ensinamentos na vida diária. Quando volto a usar as habilidades, em pouco tempo começo a sentir mais clareza, calma e positividade. Porém, à medida que continuo a prática, tenho a impressão de que essas sensações vão embora, começo a me sentir frustrado e confuso e acho difícil me concentrar nas meditações.

Essa é uma reação normal? Você tem alguma dica para me manter no caminho?

Resposta:
É normal que o entusiasmo por uma prática espiritual tenha altos e baixos. O que recomendo é fazer da sua prática um hábito que não se baseie no seu nível de motivação diário

e seja uma ação automática, como um reflexo, que você faz por saber que é para o seu bem. Exatamente como você escova os dentes todos os dias, mesmo quando não está se sentindo motivado quanto aos benefícios higiênicos do ato. Você faz isso sem pensar muito porque é uma das tarefas que você precisa cumprir diariamente. Da mesma forma, quando você já decidiu que a meditação e as práticas espirituais valem o seu tempo e esforço, elas viram uma atividade automática que você faz sem esperar pela motivação ou por um determinado nível de interesse.

CULTIVAR A MENTE ABERTA

Pergunta:
Você não acha que cultivar a mente aberta e uma abordagem sem julgamentos em relação à vida pode levar a uma espécie de morte interior? Minha opinião é que as pessoas mais interessantes e passionais são as que têm fortes convicções. Tenho certeza que todos nós conhecemos pessoas de personalidade marcante e exuberante, que simplesmente não seriam as mesmas se ficassem tranquilas e serenas, acima das trivialidades da vida. A meditação pode acalmar a tempestade, mas, às vezes, tenho a impressão de que também pode diluir a personalidade. O que você acha?

Resposta:
As pessoas mais abertas, tolerantes e amorosas que conheço também são as mais alegres, passionais e vivas. Considero um erro confundir serenidade com falta de vigor. Aqueles cuja mente está aberta e pacífica continuarão

tendo convicções fortes e vitalidade, mas elas não vêm mais de um ego fraco e receoso, que é a fonte da intolerância e da mente fechada. A meditação não dilui a personalidade, mas a liberta de suas máscaras, medos e limitações.

Divagando um pouco, tenho notado nas cartas que recebo essa tendência de analisar os méritos e os deméritos da meditação como se estivessem discutindo teoria da arte ou algum assunto filosófico. A meditação é, antes de tudo, uma *prática*. É algo que fazemos a fim de vivenciar a verdadeira natureza e desenvolver o nosso potencial pleno. Assim como é possível falar muito sobre o gosto da manga e os seus benefícios nutricionais, você só pode saber realmente o que é uma manga ou obter qualquer valor dela quando provar da fruta. Se quiser entender as mangas, precisa comê-las. Se você quiser entender a meditação, precisa praticá-la.

Muitos dos assuntos taxados como difíceis, misteriosos ou metafísicos desenvolveram uma aura injusta de impenetrabilidade intelectual. É como um grupo de pessoas especulando sobre a vida na Birmânia sem que ninguém tenha ido lá ou acredite ser possível ir até lá. Temos a capacidade de vivenciar e entender qualquer coisa na criação. Se não o fazemos é apenas porque a maioria das pessoas não se deu ao trabalho de usar a capacidade inata de vivenciar diretamente as respostas para as perguntas delas. Uma vez que você conhece a própria essência, não há conhecimento ou experiência no universo que precise continuar teórico ou inacessível.

INTENÇÃO MAIS PROFUNDA

Pergunta:

Você poderia explicar o que você quer dizer com "intenção mais profunda" em seu conselho: "Talvez parte do objetivo seja entender como usar a intenção mais profunda para fortalecer a disciplina e conseguir algumas coisas importantes para você"? Além disso, quando meditamos (ou, no meu caso, tento meditar), isto é um meio de se juntar ao consciente coletivo? Não consigo entender o que estou tentando alcançar com a meditação. Não sei o que estou tentando vivenciar ou como vou saber quando atingi-lo. Você pode acreditar, venho tentando entender o que é a meditação desde a adolescência, quando as freiras na escola queriam que meditássemos sobre as escrituras todos os dias. Tudo parecia um exercício de imaginação (por exemplo: "Imagine Jesus com as criancinhas") e sempre senti que o produto da minha imaginação era o real ou que estava fazendo aquilo do jeito certo, pois era apenas a minha imaginação tentando conjurar imagens.

Resposta:

Eu usei a frase "intenção mais profunda" para descrever como a inteligência não local em nossa fonte trabalha para orquestrar os detalhes pessoais da vida. A intenção mais profunda é a força que unifica a vasta sincronicidade de todas as expressões diversificadas do cosmos com os desejos individuais em um todo contínuo. Às vezes chamo isso de viver a partir do nível da alma, pois quando aprendemos a nos identificar com o domínio virtual, harmonizamos a vida com aquele reino de possibilidades infinitas. Quando citei a meditação como forma de ajudar você a aprender a usar a intenção mais profunda, estava sugerindo uma prática formal de meditação silenciosa, como a meditação so-hum ou a Meditação do Som Primordial. Eu não estava pensando em um exercício de visualização ou contemplação de escrituras.

MEDITAÇÃO E REALIZAÇÃO DE DESEJOS

Pergunta:
Quando medita, especialmente em relação à lei da atração, a pessoa deve se concentrar na sensação de realizar um desejo, na sensação de unidade ou deve se concentrar simplesmente no amor? Ou em tudo isso (como sentimentos sem palavras)? Ou é melhor não se concentrar em nada, simplesmente existir no reino do silêncio interior?

Resposta:
O objetivo da meditação é a compreensão do Eu, então, quando estiver praticando uma meditação silenciosa, você deve seguir as instruções da sua meditação e não tentar realizar desejos. Quando estiver fazendo uma prática como os sutras, que têm por objetivo um resultado específico, você simplesmente apresenta a intenção/pensamento de modo neutro e depois deixa a atenção voltar ao silêncio do Eu não local. Esse processo garante que a capacidade dentro de você será desenvolvida para o seu benefício espiritual superior. Se incorporar sentimentos, imagens e concentração intensa a esse processo, poderá (ou não) acelerar a manifestação do desejo, mas esse foco individual provavelmente vai separar você da inteligência pura do cosmos, e o desejo manifesto não necessariamente será o melhor para a sua evolução espiritual.

MEDITAÇÃO E CURA

Pergunta:
Podemos curar outra pessoa durante a meditação?

Resposta:
Sim, se esse for o tipo de meditação que você estiver praticando. Contudo, a maioria das meditações está voltada para a compreensão do Eu e, portanto, qualquer cura que eventualmente ocorra, seja em você ou em outras pessoas, será um subproduto acidental do processo do despertar que está acontecendo em sua consciência.

MEDITAÇÃO, GRAVIDEZ E MATERNIDADE

Pergunta:
Como posso manter uma boa prática de meditação durante e, especialmente, após a gravidez? Fiz aulas de Meditação do Som Primordial há alguns meses e venho meditando duas vezes por dia, por trinta minutos. Está sendo ótimo, embora de um tempo para cá, especialmente após descobrir a gravidez, minha mente esteja bem dispersa e eu tenha dificuldade em concentrar no mantra. Como posso manter a prática e continuar a apreciá-la depois do nascimento do bebê, quando estarei extremamente cansada? Este é o meu segundo filho.

Resposta:
Como este é o seu segundo filho, você já sabe por experiência própria o quanto um bebê exige fisicamente. A respeito da prática de meditação, é melhor ter padrões menos rigorosos de tempo e horário. Durante a gravidez e quando o bebê

nascer, você poderá meditar do modo mais confortável que puder. Então, se conseguir encaixar quatro minutos aqui e outros 11 ali, tudo bem. Se você começar a meditar e imediatamente cair no sono, isso também é ótimo. Apenas se certifique de terminar com alguns minutos de meditação ao acordar. Se você tiver oportunidade de fazer uma meditação longa de uma hora, faça. E não se sinta mal se, às vezes, passar um dia ou mais sem qualquer meditação. Simplesmente faça o possível para encontrar alguns momentos aqui e ali quando o bebê estiver dormindo e, por enquanto, não se preocupe em tentar manter a antiga rotina de meditação.

O ego

CONHECER O ESPÍRITO

Pergunta:
Você escreveu: "A mente diz que você é o seu ego, um 'Eu' fixo, separado do resto do mundo [...] Sentir-se realmente seguro, tranquilo e contente vem de saber que o seu verdadeiro Eu é espírito puro, ilimitado no tempo e no espaço."

Como saber que existe isso de espírito, que há mais em nós do que apenas o corpo físico e que tudo não é um produto do cérebro? E se o que você diz for realmente verdade, como libertar a mente?

Resposta:
O conhecimento do verdadeiro Eu não se baseia nos sentidos, não é uma certeza intelectual e, evidentemente, não depende de qualquer validação externa. A consciência percebe sua existência através da própria consciência. Quando o Eu superior vivencia a própria natureza, essa experiência traz consigo o conhecimento de que ele não é o ego. Não há outra referência para o Eu que possa validar isso, exceto o Eu. É por isso que os sábios sempre enfatizaram a experiência pessoal em vez da compreensão intelectual como prova do espírito.

O EGO E A MENTE

Pergunta:
Você poderia explicar a diferença entre o ego e a mente?

Resposta:
Na filosofia indiana, o ego se chama *ahamkara*. É a função da individualidade que dá uma ideia de mente à experiência. A mente é considerada um termo totalmente inclusivo que engloba o *chitta* (as coisas da mente), a mente intuitiva *mana*, o intelecto *buddhi* e o ego *ahamkara*.

O ego é a faculdade que fornece a ideia de separação dos outros, a noção de dualidade e a identificação do Eu com o corpo e os sentimentos. O termo "mente" é usado de modo genérico e pode indicar qualquer um ou todos os seus componentes.

PROPÓSITO DO EGO

Pergunta:
Estou me perguntando por que o ego existe. Estou chegando ao ponto em que posso reconhecê-lo reagindo e, embora tenha que trabalhar nisso todos os dias, tenho uma forma de entendê-lo, o que ajuda a me trazer de volta ao amor, ao perdão e à gentileza. Como todos nós somos feitos de amor, por que precisamos dessa "coisa" separada que é o ego sempre criando uma visão falsa do mundo?

Resposta:
O ego existe como ponto de referência para a nossa experiência. Se você não tivesse um ego, não haveria "Eu" para

vivenciar o amor, a alegria ou a criatividade. Sem o ponto focal do ego, não teríamos uma noção de individualidade. O que você está considerando como ego, na verdade, é o ego não desperto que se identifica com o objeto da experiência em vez da percepção pura interior.

DOMINAÇÃO DO EGO

Pergunta:
Como exatamente a pessoa deixa de ser dominada pelo ego? Há alguma forma de reconhecer que se está fazendo progressos nessa direção? A meditação é o único caminho?

Resposta:
A meditação é, certamente, uma das formas mais acessíveis e eficazes de se livrar das limitações da mente do ego. O importante é ter uma técnica que leve você para além do ego e todas as suas racionalizações e artifícios. Do contrário, você pode se convencer de que os seus atos estão ajudando a se livrar do ego quando na verdade é só o ego se sentindo orgulhoso de si e defendendo a própria importância. Uma prática de meditação que forneça a experiência do Eu além do reino do ego permite despertar a identidade espiritual independente dos nossos condicionamentos antigos.

O FÍSICO E A CONSCIÊNCIA

Pergunta:
Como o ego se manifesta na consciência fisicamente harmonizada? O ego tem camadas ou níveis? Embora "saibamos"

para onde ir durante a meditação e também saibamos como ir para o Eu superior, e em relação ao ego? Desde que estejamos fisicamente presentes, é possível conhecer o verdadeiro Eu? O ego nos impede de conhecer a verdade?

Resposta:

Lá no fundo, todos sabem a verdade, mas não cabe a nós determinar o quanto dessa verdade interior pode ser aceita conscientemente agora. Todos têm a oportunidade de fazer essa escolha. Quanto às possíveis formas de manifestação do ego, bem, ele vai se manifestar de formas diferentes para cada pessoa e de incontáveis formas para cada uma delas. A manifestação e os níveis do ego serão matizados pelas experiências e pelo histórico individual de cada um.

O trabalho do ego é ser um ponto focal de consciência. É o que permite a um evento ou experiência ser "a minha experiência". Em sânscrito, isso se chama *ahamkara*. Quando a nossa identidade ainda não está estabelecida na consciência pura, o Eu superior, o ego se apega aos objetos de experiência como sua identidade. Isso significa que identificamos o corpo, o emprego, as relações familiares, etc. como nosso eu. Essa identificação errônea nos leva à servidão e ao sofrimento e é daí que vem a má fama do ego. Quando despertamos para o verdadeiro Eu e conhecemos a natureza absoluta como consciência pura, o ego individual, de certa forma, vira o ego cósmico. Continuamos vivenciando o mundo, mas agora o status de quem vivencia é a própria universalidade. Às vezes, isso é chamado de destruição ou aniquilação do ego, pois é o fim do ego no sentido que a falsa noção de identidade se foi, mas na verdade é a transformação de quem vivencia, que sai da consciência orientada para o objeto rumo à consciência orientada para o Eu.

ESTAR NO AGORA

Pergunta:
Como chegamos à estrutura mental do "agora" se não podemos nos obrigar a estar lá? O próprio ato de pensar nos tira de onde desejamos estar e parece quase impossível parar de pensar e apenas "estar". Portanto, no instante em que você se percebe no "agora", acabou de se tirar de lá. O que podemos fazer para nos permitir apenas "estar"?

Resposta:
Você explicou de modo astuto por que usar a mente direcionada ao ego jamais poderá nos tirar do reino da mente. O que os sábios disseram é que devemos primeiro transcender o pensamento através da meditação, quando vivenciamos a natureza essencial e o puro "Estar no agora". No começo, esse silêncio e a sensação de estar se perdem ao sair da meditação. Contudo, ao longo do tempo esse estado de consciência pura na meditação fica estabelecido de modo tão firme que não se perde nem quando estamos envolvidos nas atividades diárias. Isso pode ser explicado pela analogia de tingir um tecido. O método inicial de tintura envolvia mergulhar o tecido branco em um recipiente com tintura e depois colocá-lo ao sol. Isso fazia a tintura desbotar, mas parte da cor se mantinha. Em seguida, o tecido era novamente colocado no barril e para secar de novo. Mais uma vez ele desbotava, restando, dessa vez, um pouco mais de cor do que na primeira vez. O processo de mergulhar e expor ao sol se repetia, deixando a cor cada vez mais forte e fixa. Acabava chegando um momento em que o sol não desbotava mais o tecido mergulhado na tintura, indicando a fixação permanente da cor.

É o que acontece quando mergulhamos a nossa consciência na consciência pura durante a meditação e depois a perdemos quando saímos para nossas atividades diárias. A cada meditação, um pouco mais daquela testemunha silenciosa ou presença do agora vai se fixando. Até chegar o momento em que nos envolvemos em todos os comportamentos normais, mas mantemos, sem esforço, aquela atenção interna sempre no momento presente. É uma presença silenciosa do Eu que mantém a percepção alerta e não condicionada, independente do que estamos fazendo.

BLOQUEIO MENTAL

Pergunta:
O que devo fazer quando me sentir tão bloqueado mentalmente a ponto de não conseguir meditar e me sentir muito frustrado?

Resposta:
Não tente meditar através do sentimento bloqueado. Primeiro tente usar asanas e pranayama para limpar o caminho. Sentir-se mentalmente bloqueado, em geral, significa que o ego está obcecado por alguma questão. Tentar resolver isso apenas com a força de vontade geralmente agrava mais a questão. Fazer yoga e alguns exercícios de respiração costuma contornar o padrão mental e dispersá-lo.

LEI DO MENOR ESFORÇO

Pergunta:
Sinto que algumas pessoas estão se esforçando demais para ficar iluminadas e a Lei do Menor Esforço se aplica totalmente em relação ao caminho mais fácil para a iluminação. Isso me parece um grande "deixe para lá" a essa altura do meu caminho. A intenção é mais poderosa quando feita com o menor esforço, nos níveis mais sutis da consciência. É verdade que podemos ganhar percepção, relaxar o nosso julgamento e unir o ego e a estrutura de identidade à percepção indefinida? A Lei do Menor Esforço é o caminho mais direto e fácil para "casa"?

Resposta:
Acho que você está correto ao notar que muitas pessoas abordam a iluminação como um "projeto" e supõem que, assim como em outros projetos, é preciso trabalhar arduamente para se alcançar o objetivo. A Lei do Menor Esforço descreve o fluxo da evolução na natureza. Não penso nela como um caminho em si e sim como um componente fundamental para entender como podemos alinhar nossa vida a essa inteligência cósmica. Talvez seja isso que você também queira dizer. Quando abandonamos a necessidade de defender, assumimos a responsabilidade por tudo na vida e aprendemos a aceitar completamente o presente, assim, sabemos que estamos em harmonia com o universo e evoluiremos com a rapidez necessária. Todas as nossas intenções serão auxiliadas e realizadas com o menor esforço.

MORTE DO EGO

Pergunta:
Estou muito intrigado com todo o conceito de morte do ego. O que isso significa?

Resposta:
O ego é uma estrutura que concentra a experiência para quem a vivencia e é parte necessária e essencial da experiência humana. O que se chama de morte do ego, na verdade, é apenas a compreensão de que não somos o nosso ego. Quando desconectamos a identificação de quem somos, tirando-a do ego e passando para o Eu superior, o realinhamento do Eu é tão radical que a perda da configuração anterior parece uma morte. Se não tivéssemos um ego, não teríamos os meios para organizar as experiências de modo a senti-las como nossas.

Uma vez alcançada a compreensão do Eu, o ego não usurpa mais um papel que não lhe pertence e fica livre para refletir plenamente o valor da inteligência cósmica.

OBVIEDADE DO EU

Pergunta:
Por que a percepção espiritual não é uma experiência óbvia para a maioria das pessoas? Por que é preciso tanta busca e autocrítica (e muita leitura) para chegar a essa compreensão? Por que a natureza não nos permite vivenciar espontaneamente o Eu superior e apreciar as bênçãos dessa compreensão na vida diária?

Resposta:

A natureza permite que vivenciemos o Eu superior e apreciemos as suas bênçãos. É isso que a meditação silenciosa faz. Basta permitir que a percepção vá para dentro em vez de para fora através dos sentidos. O Eu fica óbvio quando tomamos o cuidado de percebê-lo, mas como somos tão condicionados a perceber as coisas apenas através dos sentidos, nem prestamos atenção a essa consciência que possibilita a cognição. O nosso hábito mental da percepção orientada para o objeto acaba obscurecendo a verdade simples da natureza essencial. Esse conhecimento da consciência orientada para o Eu sempre esteve disponível, mas nós o descobrimos apenas quando estamos prontos. É como procurar os óculos perdidos e descobrir que eles estão bem na ponta do nariz.

CONSCIÊNCIA INDIVIDUAL E CONSCIÊNCIA SOCIAL

Pergunta:

Como conciliar o condicionamento social com um propósito superior? Muito do que as pessoas fazem é automático. Como usar isso como vantagem positiva para servir os outros? Onde está o equilíbrio entre o individualismo e o coletivismo e como o ego afeta isso?

Resposta:

As regras e os costumes sociais são as formas pelas quais os humanos aprenderam a conviver em grupo, e o bem-estar do grupo, seja uma família ou nação, dá ao indivíduo a segurança para crescer. Contudo, chega um ponto na jornada espiritual da pessoa em que é preciso crescer além dos limites do grupo e reivindicar a liberdade da sua verdadeira identidade espiritual. Nesse momento, a pressão social tenta trazer a pessoa de volta para as crenças e os valores da tribo, dizendo que é errado e perigoso pensar além das fronteiras da sua família, fé ou tradição. Nessa etapa da individuação, é preciso ter a coragem das próprias convicções espirituais e a experiência para viver e pensar como manda a evolução, sabendo que o seu exemplo de liberdade permitirá que as pessoas protegidas no interior do grupo se libertem no momento oportuno.

IMPACTO NA ALMA

Pergunta:
Dizemos que a alma, ou o nosso Eu superior, é a coisa mais pura e perfeita que existe, mas as experiências físicas na Terra forjam a vida de formas diferentes. Então, há algum impacto na alma se o indivíduo tem uma vida decente, cheia de amor e gentileza? E se ele vive com raiva e ódio? Há o risco de a alma ficar imperfeita após uma experiência física negativa para o ego? E qual seria o objetivo da experiência física se a alma já é perfeita? O ego tem impacto na alma?

Resposta:
O Eu superior na tradição védica é chamado de Atman. É o Eu não condicionado, que não foi alterado ou influenciado por nossas experiências de vida. Temos um aspecto mais relativo do Eu, chamado de alma por algumas pessoas, que realmente tem a capacidade de registrar e ser afetado pelas nossas experiências. O objetivo das experiências físicas é fornecer as circunstâncias a fim de que possamos despertar

para a compreensão de que somos o nosso Eu superior e não estamos limitados por emoções, pensamentos ou corpo físico.

ILUMINAÇÃO REAL

Pergunta:

Como é possível distinguir uma iluminação induzida pelo ego da iluminação real?

Resposta:

A iluminação é uma questão de compreender a sua verdadeira natureza como sat-chit-ananda, existência, consciência e júbilo puros. Essa compreensão muda profundamente a identidade construída pelo ego. A dificuldade pode surgir quando o ego absorve essa perspectiva espiritual da consciência da unidade e decide que se esta é a verdade final, então, este é o meu status e, portanto, "eu estou iluminado". Essa fantasia baseada em uma meia-verdade pode gerar algumas declarações de iluminação. Não há padrões absolutos de comportamento externo pelos quais a iluminação pode ser verificada. A verdade da iluminação de uma pessoa pode ser confirmada apenas dentro de si. Utilizar as experiências descritas nas escrituras de outros que atingiram a iluminação como referência para o progresso das suas experiências é vital na tradição védica. Isso ajuda a poupar o aspirante da ilusão causada pelo ego fingindo ser algo que ainda não alcançou totalmente. Em uma postagem recente sobre os critérios da iluminação, citei a experiência de testemunhar enquanto estava acordado, sonhando e dormindo. Essa experiência simples é um bom começo para determinar se você está realmente desperto ou apenas imaginando.

DESEJOS

Pergunta:

Eu li As sete leis espirituais do sucesso *e gostaria de saber mais sobre desejos. É verdade que o desejo pode ser separado em dois grupos: os que se baseiam no verdadeiro Eu e os que se baseiam no ego? Por exemplo, um cara egoísta deseja um bilhão de dólares. Um dia ele decide que não quer mais ser egoísta, então, passa a meditar diariamente para descobrir o verdadeiro Eu. Quando consegue, ele abandona o desejo por um milhão de dólares? Agora que ele só tem bons desejos é muito diferente de quando era egoísta? Os desejos que se baseiam no ego e os que se baseiam no verdadeiro Eu são diferentes?*

Resposta:

A principal diferença entre os desejos que se baseiam no ego e desejos que surgem do verdadeiro Eu não está no conteúdo do desejo e sim no relacionamento que temos com esse desejo. Um desejo de riqueza que se baseia no ego é uma percepção orientada para o objeto. O ego fica identificado com o objeto do desejo, fortalecendo o apego a esse objeto de desejo e a ignorância sobre a verdadeira natureza daquele indivíduo. A conquista do desejo que se baseia no ego exige uma boa dose de força de vontade e, em geral, não está em harmonia com as necessidades do próximo ou do ambiente, gerando outros problemas.

O mesmo desejo de riqueza que surge de um Eu desperto vem da percepção orientada para o Eu, portanto não há apego ao resultado e o desejo não ofusca o conhecimento da verdadeira natureza do indivíduo. A realização do desejo é feita pela Natureza em si, de modo equilibrado e harmonioso que também ajuda todos e tudo no ambiente.

Algumas tradições espirituais não chamariam as intenções vindas do estado orientado para o Eu de "desejos", visto que esses impulsos não têm o mesmo caráter de "posse" de quando estão associados ao ego. Na verdade, é uma questão de semântica. Se você os chama de desejos ou não, a principal diferença entre as intenções do ego e do Eu é que as do ego vêm da percepção orientada para o objeto e as outras surgem da consciência orientada para o Eu.

EGO E EVOLUÇÃO

Pergunta:
Você acha que quando estamos em evolução espiritual, realmente não vemos a própria evolução? Se notássemos como estamos avançando, o ego entraria no jogo e perturbaria toda essa evolução? Ele certamente diria: "Olha o que posso fazer!" Esta dúvida surgiu quando percebi que, mesmo tendo pensado, algumas vezes no passado, que não estava acontecendo evolução alguma, quanto mais respostas eu tinha, mais perguntas surgiam, e passei a reconhecer que estava acontecendo uma grande evolução.

Outro exemplo é que, às vezes, eu me sinto estressado no trabalho e pouco tempo depois alguém comenta que pareço muito calmo e zen. Assim eu noto que, mesmo trabalhando arduamente na vida espiritual, o resultado talvez esteja lá, mas o ego não o vê.

Resposta:
Penso que esta é uma descoberta profunda, que a necessidade de o ego calcular e quantificar a nossa evolução na verdade é apenas a forma dele manter seu controle e supre-

macia. Se o ego acredita que você está fazendo um grande progresso, está implicitamente recebendo o crédito por isso. Se o ego julga que você não está evoluindo, essa é a forma encontrada por ele para colocar você no devido lugar e, ao mesmo tempo, supor que é o soberano da sua vida espiritual, carimbando sua autoridade sobre ela.

A verdade é que a vida está em constante mudança, estamos sempre evoluindo naturalmente. Ao perceber a nossa natureza essencial, podemos acelerar o processo, mas a determinação exata de onde estamos em termos espirituais e da rapidez com que evoluímos está realmente além do alcance da compreensão do ego.

O MUNDO VIVE DENTRO DE VOCÊ

Pergunta:
Acabei de ler O Caminho da Cura. *Você poderia, por gentileza, explicar melhor o trecho: "Você acredita que vive no mundo quando, na verdade, o mundo vive dentro de você"? Como esse mundo gigantesco reside em mim e como estou, ao mesmo tempo, em pé na Terra que está dentro de mim? É por que o mundo é uma projeção do que o meu Eu superior projeta em uma tela conhecida como plano físico?*

Resposta:
A alucinação do materialismo é muito forte e permeia a forma pela qual nos conceituamos. Tendemos a nos considerar entidades localizadas que ocupam um espaço definido dentro do universo físico. As propriedades físicas dos nossos corpos são apenas artefatos dos filtros perceptivos da nossa consciência, gerados pela agitação constante de possibili-

dades não manifestadas. Nós não somos o corpo, somos a consciência que gera estas experiências. Essa consciência é não local, está em toda parte e não se limita a estar em um lugar. Quando você conhece o verdadeiro Eu, percebe que há apenas uma mente, uma inteligência, um observador, um Ser percebendo a si mesmo através das incontáveis perspectivas de seres diferentes. Esse é o "você" dentro do qual o mundo vive. O cerne do ser é o eu cósmico que tudo contém, permeia e gera.

Entendendo a consciência pura

EU SUPERIOR

Pergunta:
Reli algumas postagens antigas no fórum do site e você às vezes menciona que o Eu superior deveria ser a fonte da nossa orientação e conhecimento. O que é o Eu superior? Como devemos nos voltar para ele em busca de orientação e saber quando fazemos descobertas etc.?

Resposta:
O Eu superior é o cerne do nosso Eu, a natureza autêntica mais profunda, além de todos os condicionamentos, hábitos e impressões. O Eu superior é o que os Upanixades chamam de Atman. Como ele é a base da existência, é o que nos conecta à fonte de toda a existência, inteligência e criatividade. A experiência consciente e direta do Eu superior nos fornece o conhecimento e orientação desse Eu. Para isso, basta sermos nós mesmos da forma mais significativa possível e isso geralmente é feito através da meditação silenciosa, que nos permite manter a percepção sem o pensamento discursivo. A experiência repetida do Eu superior realinha o pensamento e os padrões comportamentais à inteligência do cosmos. Podemos sentir a

orientação do Eu superior quando notamos a mão invisível da Natureza atuando nessas necessidades sem dificuldade. Quando estamos alinhados com o verdadeiro Eu, vemos a sincronicidade confirmando o destino da nossa vida de modo harmonioso com toda a orquestração do universo. Quando estamos em harmonia com essa fonte de sabedoria interior, temos uma sensação profunda de conforto, facilidade, alegria e destemor que nos permite saber que estamos conectados ao Eu superior.

CONSCIÊNCIA ORIENTADA PARA O EU

Pergunta:
O que é consciência orientada para o Eu?

Resposta:
Consciência orientada para o Eu é a experiência natural e normal da percepção humana descomplicada por qualquer necessidade de se definir por algo externo. Ela é vivenciada durante a meditação, quando a mente está contida na plenitude do Eu superior: sem pensamento, sem desejo e sem estimulação externa. Nesse estado de consciência, o Eu é possuído pelo Eu, sua referência é apenas o Eu. É assim que adquirimos o conhecimento da nossa verdadeira natureza, é assim que o pequeno Eu desperta para o grande Eu. É nessa experiência que a vida normal e o conhecimento devem se basear: a simples consciência orientada para o Eu.

TERMINOLOGIA DO EU SUPERIOR

Pergunta:
Consciência de Cristo, Natureza de Buda e Jiva/Atman são palavras diferentes para representar a mesma coisa?

Resposta:
Sim, acredito que todos esses termos se refiram à mesma experiência interior da consciência pura e sem limites, o Eu superior. Eles podem ter significados levemente diferentes e sem dúvida cada um tem conotações culturais distintas, mas a essência da experiência descrita por eles é a mesma realidade eterna da compreensão do Eu.

MEDITAÇÃO, TANTRA E SIDDHIS

Pergunta:
Fui ao seu workshop no fim de semana passado e você disse que aumentar a frequência vibratória da mente (através da meditação com mantra) é o processo que leva aos estados superiores de consciência e à compreensão do eu não local. De passagem, e pareceu que você estava colocando parênteses verbais, você disse que era Shiva/Sakti. Por muito tempo eu pensei que a compreensão do Eu através de um mantra, a ideia de Shiva/Sakti (shaktipat), kundalini yoga e a prática de um dos siddhis nos sutras de Patanjali eram todos representações um pouco diferentes do mesmo processo básico, mas na superfície é difícil ver como isso aconteceria. É particularmente enigmática a ideia de chegar ao mesmo resultado tanto por meio da energia kundalini subindo pelo sushumna quanto meditando e vivenciando repetidamente o intervalo.

Isso é tantrismo subjacente? E não sei exatamente o que é o tantra, parece não ser uma linhagem e sim uma perspectiva e conjunto de práticas que permeiam boa parte das linhagens indiana e budista. Você pode conjurar uma "teoria do processo unificado" que conecte esses diferentes campos de práticas ou eles são realmente bem separados?

Resposta:

O desdobramento dos estados superiores de consciência é o processo de despertar para compreensões e capacidades mais completas do Eu ou Atman. O Eu em seu estado completo é conhecido como Brâman ou, na tradição tântrica, Shiva/Sakti. Essa tradição também descreve o processo de despertar como a força feminina de kundalini subindo pelos chakras ao longo do *sushumna*. Quando chega ao chakra mais alto, Shiva, ela representa a união entre Shiva e Sakti ou a iluminação total. Mesmo que outras tradições não falem nesses termos sobre as transformações na fisiologia sutil do despertar, o processo básico é o mesmo. Quando vivenciamos o intervalo, por exemplo, a mente está em um estado de equilíbrio e quietude perfeitos. Na tradição tântrica, diz-se que o *sushumna* está aberto para que kundalini suba apenas quando as correntes opostas do prana, chamadas *ida* e *pingala*, estiverem completamente equilibradas em cada lado do *sushumna*.

Os *siddhis* descritos nos Yoga Sutras de Patanjali são técnicas avançadas criadas para fazer o Eu silencioso perceber a sua potencialidade infinita mostrando como as intenções se manifestam quando caem na quietude do Eu ilimitado. A base da prática bem-sucedida dos *siddhis* se chama *samyama*, que é a manutenção simultânea da atenção concentrada (dharana), percepção fluida (dhyana) e percepção silenciosa (samadhi). Ter a experiência de samadhi disponível implica que kundalini foi despertada para o topo da coluna vertebral, então os *siddhis* pressupõem um nível básico de despertar sobre o qual acontecerão outros desenvolvimentos.

MANTER A CONSCIÊNCIA SUPERIOR

Pergunta:
Quando você compreende uma consciência superior, como é possível manter a concentração nela em sua vida?

Resposta:
Para que os estados superiores de consciência se sustentem ao longo do tempo, o funcionamento da fisiologia deve ser puro e refinado o bastante de modo que essa percepção se reflita através dele. Uma vez que os traumas psicológicos e emocionais estiverem suficientemente curados para que o corpo possa aguentar a experiência da percepção pura 24 horas por dia, aquele estado de iluminação se sustentará permanentemente. A fisiologia agora está tão flexível que eventuais dificuldades ou obstáculos enfrentados ao longo do dia que, no passado, teriam tirado você da compreensão do Eu, agora serão instantaneamente curados ou apagados. A analogia é que a experiência que anteriormente teria gravado uma linha em pedra na sua consciência agora é apenas uma linha desenhada no ar. A experiência acontece e é reconhecida, mas não consegue mais perturbar a sua vigília interna.

MEDITAÇÃO PARA AUTOCONHECIMENTO

Pergunta:
Venho explorando formas de conhecer o Eu interior. Recuperei-me de um trauma de infância e ainda estou me recuperando de um transtorno dissociativo. O maior desafio para mim é conhecer verdadeiramente o Eu, que geralmente está encoberto. Estou pensando em meditar. Agradeceria se pudesse fazer suas considerações a respeito.

Resposta:
Para conhecer o verdadeiro Eu, não há nada melhor do que meditar. Uma prática de meditação silenciosa lhe dará a experiência do cerne do Eu que está além dos seus pensamentos, sentimentos e condicionamento mental. Descobrir a natureza essencial independentemente da sua dor e confusão do passado não só é esclarecedor como também útil para continuar o seu processo de cura. Ao descobrir o verdadeiro Eu, você percebe que o Eu verdadeiro jamais poderá ser machucado, encoberto ou traumatizado e isso fornece a compreensão e a segurança a partir das quais será possível abandonar a dor do passado.

VERDADEIRA NATUREZA DO INCONSCIENTE

Pergunta:
Ouvi falar que o subconsciente é o lugar onde dúvidas, medos e limitações existem a partir das nossas experiências e do nosso passado. Contudo, também ouvi que o subconsciente é a consciência de Deus, nosso estado natural. Como pode o

subconsciente ser ao mesmo tempo o lugar das limitações e o poder ilimitado da criação de Deus?

Resposta:

Em termos psicológicos, o subconsciente é onde os impulsos e desejos reprimidos se escondem. Essa é a noção de subconsciente à qual você se referiu quando disse que era o lugar onde dúvidas, medos e limitações do passado estão armazenados.

A outra noção de subconsciente que você mencionou como lugar da nossa natureza divina é um uso não convencional do termo. Seria possível descrever de modo literal o potencial inexplorado que está embaixo da nossa mente pensante e consciente como sub (embaixo do) consciente, mas devido às antigas implicações psicológicas do termo, os professores espirituais preferiram ficar longe dessa palavra para descrever a verdadeira essência da alma a fim de evitar confusão.

O quadro geral é que os reinos da mente abaixo dos nossos pensamentos superficiais realmente guardam o histórico da nossa ignorância, medos e lesões, mas lá no fundo, além de todos esses estados relativos de experiência, está o cerne da consciência, que é a pura essência divina. Esta é a nossa verdadeira identidade. E à medida que todos os níveis intermediários da mente são curados, equilibrados e integrados ao eu unificado, nossas intenções são totalmente auxiliadas e alinhadas com todos os aspectos da nossa percepção.

IDENTIFICAÇÃO COM ARQUÉTIPOS

Pergunta:
Você diz que é importante expandir a nossa ideia do Eu tocando o nosso domínio arquetípico. Percebo os meus arquétipos e, sempre que lembro, peço a eles para "se expressarem através de mim", conforme você sugeriu. Mas você poderia falar mais sobre o que significa ter um relacionamento com os nossos arquétipos?

Resposta:
Essa é uma pergunta fascinante porque relacionamentos implicam intimidade e concessões mútuas entre parceiros, enquanto arquétipos são universais em todas as culturas Porém, assim como há um aspecto pessoal e impessoal de Deus, os arquétipos também são tanto pessoais quanto universais. O arquétipo feminino permeia toda a natureza, mas cada um de nós também explora e vive um lado feminino. Se você ler literatura mítica, reagirá a proezas heroicas, buscas, romances, todos arquetípicos. Deixe esses sentimentos crescerem naturalmente. Veja a si mesmo como veículo para qualquer uma dessas energias arquetípicas: sabedoria, proteção, coragem, descoberta, arte e transformação. Esses são alguns dos temas arquetípicos básicos expressos na literatura mítica. Eles estão disponíveis como aspectos da consciência, prontos para crescer em sua vida.

CONSCIÊNCIA E CRIATIVIDADE

Pergunta:
Qual é a diferença entre consciência e criatividade? Eu estava andando em círculos com a imaginação, mas a imaginação é uma ferramenta da consciência. Se a consciência está constantemente criando, a consciência não é criatividade?

Resposta:
A criatividade é um aspecto ou atributo da consciência pura, assim como inteligência, amor e a existência são atributos da consciência. Não há criatividade ou imaginação sem consciência, pois ela é o campo de todas as possibilidades a partir da qual todas as ideias surgem.

BELEZA

Pergunta:
Você acredita na existência da beleza exterior?

Resposta:
A beleza é sempre uma experiência na consciência. Mesmo se a experiência for ativada por um estímulo sensorial externo, como a visão de uma rosa, a existência daquela beleza não é externa, está dentro da nossa percepção.

VERDADE

Pergunta:
O que é a verdade? É algo que ouvimos na mente e depois se manifesta, sendo, portanto, verdadeiro? A verdade é algo que é verdadeiro para a maioria da humanidade? Ou a verdade se relaciona ao indivíduo?

Resposta:
A verdade é algo que encontramos tanto com o coração quanto com a mente. À medida que aumentamos a clareza da consciência, a nossa capacidade de apreender a verdade muda. Assim como acontece com as sete etapas da Resposta de Deus, a verdade do indivíduo sobre Deus se transformará. Há tantas "verdades" sobre Deus quanto há estados individuais de consciência. Apenas acontece de algumas verdades serem mais inclusivas e holísticas do que outras e, portanto, consideradas mais absolutas. O mesmo vale para todas as versões da verdade: elas refletem o entendimento do nosso nível de percepção

MORALIDADE NO UNIVERSO

Pergunta:
Quanto mais investigo e trabalho para aceitar "o que é", mais parece se revelar que não há "moralidade" intrínseca no universo, há apenas o que é (algo que pode ser bem perturbador de contemplar em certas situações). Mesmo assim, parece que estamos evoluindo para estados mais refinados de consciência, benevolência etc. Você poderia comentar isso?

Resposta:

Aceitar realmente "o que é" depende da percepção do Eu, de conhecer a verdadeira existência, de Ser o que é. Quando conhecemos a natureza essencial como consciência do júbilo absoluto, transcendemos as noções de certo e errado criadas pelo homem e nascidas da percepção dualista, mas absorvemos as virtudes inerentes do Ser, como amor, compaixão, verdade, alegria e sabedoria. Essas qualidades não são valores culturais ou sociais de moralidade e sim expressões inerentes da existência em si.

MEDITAÇÃO E KUNDALINI

Pergunta:

Sempre que medito, começo instantaneamente a bocejar e a lacrimejar. Falei com meu professor e ele diz que isso faz parte do processo, que meus chakras estão se limpando. Não tenho certeza do nível de profundidade da minha meditação, mas, às vezes, sinto frio nos dedos das mãos e dos pés durante a meditação. Não sei o que é isso.

Após alguns dias, comecei a sentir esse mesmo frio sem estar meditando. Ele toma o corpo inteiro, às vezes o peito, as pernas, mãos e um pouco a cabeça, mas o centro parece estar abaixo da coluna. Isso é a energia kundalini? O que isso significa para mim? O que devo esperar a seguir? Também ouvi falar que a energia kundalini pode ser perigosa se não for usada adequadamente. O que isso significa? Há algo que se deva fazer (ou não fazer) nesse caso?

Para contextualizar um pouco, eu faço kapalbhati pranayam prescrito por Baba Ramdev há quatro anos (conhecido por invocar a energia kundalini) e comecei a meditar há uns

nove meses, aproximadamente o mesmo período no qual percebi que não somos os nossos pensamentos e sim muito mais do que isso.
O seu conselho nesse caso seria realmente muito útil.

Resposta:
A experiência de sentir frio é consistente com o movimento da energia kundalini que acompanha a expansão da consciência. Em si, essas sensações não significam nada. O importante é o quanto o Eu está desperto agora. É melhor não esperar que nada específico aconteça depois disso, pois essas experiências são extremamente suscetíveis a expectativas. É melhor deixar que as coisas se desenvolvam naturalmente e sem expectativas. Desde que as experiências não sejam incômodas e não perturbem a sua rotina diária, siga a vida normalmente. Caso se torne difícil lidar com os sintomas, talvez você deva diminuir o kapalbhati pranayama.

Os bocejos e lacrimejos podem ser indícios comuns da limpeza de antigos condicionamentos durante a meditação. Eles vão parar quando o processo chegar ao fim. Você não precisa se preocupar com a profundidade da meditação. O importante é meditar de modo eficaz e o resto acontecerá naturalmente. Assim você conseguirá a experiência de que precisa naquele momento, seja "profunda" ou "rasa".

METABOLIZAR A EXPERIÊNCIA

Pergunta:
Uma vez ouvi uma gravação em que você falava sobre metabolizar a experiência, explicando que não metabolizar totalmente os alimentos cria emoções nocivas. Você estava

de alguma forma relacionando isso à testemunha silenciosa. Sempre fiquei intrigado com esse conceito e pergunto se você poderia dizer algo mais sobre ele.

Resposta:

A testemunha silenciosa dentro de nós é a luz da consciência pura presente o tempo todo, em todas as experiências. Curiosamente, Agni, o deus veda do fogo, também é conhecido como testemunha eterna e devorador. Também na fisiologia ayurvédica, os oito Agnis são os fogos da digestão que devem estar funcionando adequadamente para a que a essência total do alimento seja extraída. Se o alimento não for totalmente digerido, ele cria *ama*, uma toxina metabólica que prejudica a saúde. Quando a luz da nossa consciência estiver totalmente desperta, a testemunha silenciosa estará totalmente presente em cada momento da experiência. A luz de testemunhar metaboliza totalmente qualquer experiência que tivermos, seja de dor ou prazer, e proíbe que a experiência vire uma fonte de apego, sofrimento ou ilusão no futuro. O caráter de testemunha silenciosa do Eu superior nos mantém no presente, livres do condicionamento do passado e do medo do futuro.

Mantras e modos de meditar

MANTRA E AUDIÇÃO

Pergunta:
Quando repetimos o mantra sem esforço, nós "ouvimos" internamente, a mente assimila o mantra e é puxada para estágios cada vez mais puros de sua formação dentro da consciência, sendo o objetivo final transcender o impulso mais puro do mantra, chegar à fonte do pensamento e ficar totalmente desperto dentro do Eu. Minha pergunta é a seguinte: esta habilidade de "ouvir" é a mesma em todos os indivíduos ou há um ponto em que a percepção da pessoa não consegue mais assimilar o mantra em um nível mais puro e ela simplesmente fica naquele nível de percepção? (Obviamente estou considerando que não esteja ocorrendo grande liberação de estresse ou alguma outra limpeza, pois isso naturalmente desloca a atenção para fora.)

Resposta:
Todos que têm a capacidade de pensar têm, também, a capacidade de perceber o mantra em seu nível mais puro de expressão no domínio quântico. Além dele fica o reino virtual, o campo de potencialidade pura, o campo não diferenciado da inteligência pura. Esse é o nosso Eu, não limi-

tado por qualquer pensamento ou sentimento. A percepção apurada do mantra em níveis mais refinados é um veículo confiável através do qual a mente pode fazer esta transição cognitiva da atividade ao silêncio.

VISUALIZAÇÃO E CAMPO UNIFICADO

Pergunta:
Estou um pouco confuso entre o uso de exercícios de visualização e a meditação para a realização de desejos. Por exemplo, há muitas aulas de visualização criativa que ajudam a controlar o padrão de ondas alfa do cérebro e a enfatizar o desejo na mente subconsciente, que, por sua vez, realiza o desejo, enquanto a meditação ajuda a vivenciar um campo unificado no qual as nossas intenções podem ser realizadas. Então, minha pergunta é: onde estabelecer o limite? É realmente na mente subconsciente ou no campo unificado ou as pessoas que usam visualização estão utilizando inconscientemente o campo unificado?

Resposta:
A inteligência cósmica da qual somos feitos e que apoia tudo no universo é a mesma força que realiza os nossos desejos. Então, chamar de campo unificado ou mente subconsciente não importa, a mecânica é a mesma, independente da terminologia.

O valor da meditação como base para técnicas secundárias de visualização é que ela permite que o indivíduo se aprofunde e se envolva conscientemente no domínio virtual, ajudando a intenção individual. Essa experiência direta da consciência pura é fundamentalmente diferente de um estado alfa induzido gerado pela visualização. A experiência orientada para o Eu que a meditação cultiva é o que permite a manifestação total das nossas intenções.

HIPNOSE E MEDITAÇÃO DO SOM PRIMORDIAL

Pergunta:
Por gentileza, você poderia me dizer qual a diferença entre auto-hipnose e Meditação do Som Primordial? Estou confuso.

Resposta:
Não sei ao certo o motivo da confusão, pois essas práticas não têm quase nada em comum em termos de técnica, mecânica ou resultados. A auto-hipnose costuma ter como objetivo a superação de uma dificuldade ou obstáculo específico. Já a Meditação do Som Primordial usa um mantra a fim de permitir que a mente vivencie a própria natureza pura, sem um objetivo específico. A nossa inteligência não local sabe o que precisa ser curado e a meditação vai automaticamente nos abrir para as necessidades que precisam ser abordadas naquele momento. Com a meditação, o processo é guiado pela natureza da mente para se conhecer. Com a hipnose, o processo é direcionado pelas instruções conscientes da nossa mente pensante.

SOM NA MEDITAÇÃO

Pergunta:
Eu medito há muito tempo e, nos últimos anos, comecei a ouvir um zumbido contínuo de alta frequência. Minha au-

dição é perfeita, só ouço o som quando estou meditando e o zumbido parece o mesmo, independente de onde estou. O que está acontecendo?

Resposta:
Pela descrição, parece que você está sintonizando o zumbido de fundo da criação em si. Isso indica um refinamento da percepção e é um ótimo sinal. Não há mais nada que você precise fazer ou necessariamente aprender com essa experiência. Basta tê-la e deixá-la ser assimilada pela consciência. Ela pode até sair da sua atenção consciente depois de algum tempo, mas não se preocupe, pois isso não quer dizer que você perdeu o que esse acesso trouxe para a sua consciência, apenas significa que isso não precisa mais ficar em primeiro plano na sua mente e você está pronto para seguir rumo a outro estágio de crescimento.

IMAGENS NA MEDITAÇÃO

Pergunta:
Aprendi a meditar há dois anos e gostei muito. Em dois anos, cheguei ao silêncio duas vezes, e me disseram que isso é muito bom! Algo estranho aconteceu há seis meses e durou duas semanas. Em quatro ocasiões diferentes, tive uma inundação aleatória de imagens visuais que não consigo associar a um sonho, a lembranças do passado, a nada especificamente. Na verdade, as imagens eram totalmente inéditas para mim. Elas duraram uns oito segundos cada e depois sumiram de novo, mas o mais estranho foi não ter lembrança dessas imagens depois. Eu me recordo apenas que as imagens não eram assustadoras ou preocupantes, mas a experiência em si foi.

Só consigo descrever esta inundação de imagens como se alguém tivesse aberto o alto da minha cabeça e despejado água gelada no cérebro, que depois desceu por dentro do corpo e saiu pelos pés. Quase no fim desse período de duas semanas, na sexta-feira, comecei a me sentir muito desorientado, mas ainda lúcido, e andei por aí meio "bêbado". Para piorar a situação, eu sentia déjà vu em tudo, até em lembranças. Fiquei tão preocupado com a minha saúde mental que comecei a jogar "esquizofrenia", "psicose" e outros termos parecidos no Google. No fundo eu sabia que não era isso, mas temi que não tivesse com quem falar, pois sabia que ninguém entenderia ou se identificaria. Passei o fim de semana de cama, rezando para que passasse. No sábado à noite, quando estava deitado, senti uma onda imensa de energia quente me queimando, indo do estômago para a cabeça e depois continuou subindo e descendo por uns 15 minutos. Foi uma sensação linda. Comecei a rir sozinho, meio que percebendo que eu não estava enlouquecendo, mas que aquilo era uma visita de outro lugar. No dia seguinte eu acordei normal, graças a Deus. Espero que essa experiência nunca mais se repita. Eu me senti muito sozinho. O que você acha que pode ter sido? Meu professor de meditação sugeriu que a minha percepção estava se expandindo. Obrigado!

Resposta:

Sim, a sua percepção certamente estava se expandindo. Quando vivenciamos níveis mais profundos da consciência na meditação, podemos entrar em contato com impressões e lembranças antigas com as quais perdemos o contato consciente. À medida que são ativadas, essas lembranças podem reaparecer na mente como uma enxurrada de imagens, cores, sensações ou emoções (ou tudo isso simultaneamente).

Você não precisa se preocupar, pois isso representa o processo de cura e reconexão envolvido na iluminação. A pessoa pode ficar um tanto desorientada quando as impressões do passado a tiram da percepção do presente e isso pode ser percebido como déjà vu. A energia quente e agradável que sobe até a cabeça é uma experiência clássica de kundalini, que pareceu limpar a desorientação residual e recolocá-lo com os pés firmes no chão, agora em um nível mais alto.

MEDITAÇÃO GUIADA

Pergunta:
Estou na jornada do bem-estar há uns quatro meses. Tento fazer a sua meditação guiada e yoga todos os dias. Minha pergunta é: quando tento meditar sozinho (sem guia), vejo a mente vaguear e pensar em outras coisas, como trabalho e acontecimentos passados da minha vida, e não me concentro em apenas ser. Você tem alguma sugestão para me ajudar a meditar melhor? Obrigado pelo seu tempo.

Resposta:
A meditação guiada mantém a atenção nos trilhos, dando à mente uma referência para a qual voltar quando ela vagueia. A meditação solitária usa um mantra ou a atenção na respiração para fazer o mesmo. Uma prática fácil de meditação consiste em voltar a sua atenção para a inspiração e expiração. Você pode pensar no som "so" quando inspira e, depois, pensar silenciosamente no som "hum" quando expira. Essa meditação so-hum vai ajudar a sua prática meditativa.

TIPOS DE MEDITAÇÃO

Pergunta:
Quero saber algumas coisas sobre meditação. Há vários tipos e a maioria deles é para criar uma âncora de modo a fazer a mente se concentrar em algo como a respiração, um mantra, bolhas coloridas etc. Qual tipo de meditação é mais adequado?

Resposta:
Há tipos diferentes de meditação para objetivos diversos. A meditação adequada para você será a que atende aos seus objetivos. Quase toda prática de meditação traz mais paz e relaxamento, então, se esse é o seu principal objetivo, uma simples meditação de percepção da respiração será boa. Caso queira uma prática de meditação que permita vivenciar o cerne do Eu, sem pensamentos, você precisa de uma prática que possa ir além e dar a você a experiência da percepção pura. Para isso, o tradicionalmente necessário é uma meditação silenciosa com mantra, como a Meditação do Som Primordial, que usa a natureza da mente para seguir rumo à maior realização como forma de entrar em contato com o Eu superior.

MEDITAÇÃO DE OLHOS ABERTOS

Pergunta:
Tenho uma pergunta sobre a postura e a experiência de meditação. No meu entendimento (como leigo), a tradição budista instrui que a meditação deve ser praticada de olhos abertos, um componente físico que corresponde à ideia de

a pessoa "acordar" para a realidade e essa parte da postura parece auxiliar a compreensão do estado de atenção plena. Quando comecei a minha prática de meditação, fui orientado a praticar de olhos fechados, o que corresponde ao misticismo do conhecimento védico.

Meditar de olhos abertos (como inferi pelos meus estudos) parece valorizar a vivência da alegria na vida mundana (como na meditação do chá, por exemplo) e, consequentemente, cultiva qualidades humanistas, enquanto meditar de olhos fechados estimula uma forma de alcançar a comunhão direta com Deus. Li o texto de Swami Vivekananda chamado "Karma and Bhakti Yoga" e consigo ver como a prática do budismo promove o karma yoga, então entendo que os dois caminhos não são contraditórios.

Eu valorizo as duas abordagens e me pergunto se o fato de concentrar a prática em uma delas vai "fechar a porta" para a outra experiência. Como a postura geral da meditação (a experiência "literalmente" ancorada) influencia a prática, é possível afirmar que ter os olhos abertos ou fechados tem o mesmo efeito? Se sim, de que forma? Se não, por quê?

Resposta:

Nas práticas de meditação em que o objetivo é fornecer a experiência do Eu superior, recomenda-se ficar sentado confortavelmente com a coluna reta e os olhos fechados. A ideia por trás de fechar os olhos é que boa parte da nossa atividade mental externa é estimulada pela visão. Ao fechar os olhos, damos à mente a oportunidade de não direcionar a atenção para fora. Através da prática da meditação, a mente tem permissão de ir para dentro e vivenciar o silêncio e a luz interior. Sei que algumas práticas budistas de meditação recomendam manter os olhos abertos ou semicerrados, mas no meu entendimento essas são práticas especializadas (como as de ficar acordado, concentrar-se em uma imagem ou fazer a transição através da morte física) e não representam todas as meditações budistas. Se a prática de meditação de olhos abertos está ajudando e você achar que isso não diminui eficácia da sua prática, tudo bem.

Além disso, embora seja possível caracterizar a meditação budista como karma yoga, isso não representa adequadamente o budismo. Algumas formas de budismo também enfatizam muito o caminho de Gyana Yoga e até Bhakti Yoga pode ser encontrada em algumas formas de budismo tibetano e Mahayana. Então, não pense que seguir um caminho budista significa fechar a porta para qualquer experiência espiritual que seja parte da sua natureza. A sua frase "o misticismo do conhecimento védico" me fez lembrar que a palavra "misticismo" em si vem da palavra grega que indica os ritos de iniciação espiritual deles, chamados de mistérios, que, por sua vez, deriva da palavra grega *muein*, olhos fechados. Portanto, a ideia de fechar os olhos para o mundo exterior a fim de se abrir para a luz interior da sabedoria e do autoconhecimento não se restringe à tradição védica

RESPIRAÇÃO NA MEDITAÇÃO

Pergunta:
Eu venho fazendo a Meditação do Som Primordial há quase duas semanas. Há três dias, comecei a hiperventilar e tive um ataque de pânico durante os primeiros minutos da meditação. Depois de passar por isso, voltei à meditação confortavelmente e não tive mais problemas, mas fiquei surpreso e eu

me pergunto se isso é normal. Nunca mais aconteceu algo do tipo e continuo meditando por meia hora duas vezes ao dia. Por que isso aconteceu?

Resposta:
Geralmente, qualquer experiência ocorrida durante a meditação é considerada normal, pois um efeito da meditação é permitir que o corpo encontre seu ritmo natural que foi perdido ou distorcido por anos de estresse. A inteligência do corpo está liberando esses antigos estresses e frequentemente isso acontece através da respiração, o ritmo mais sutil do sistema mente-corpo. Dito isso, se qualquer sensação ficar desconfortável, abra os olhos e deixe-a passar antes de continuar. Caso a sensação persista, deite-se com os olhos fechados. Isso costuma bastar para dar um fim a ela. Nos raros casos em que a sensação for avassaladora, é melhor terminar a meditação, repousando silenciosamente por dez minutos. Quase sempre o corpo terá liberado o eventual desconforto antes da sua próxima meditação

MEDITAÇÃO

Pergunta:
Experimentei a meditação so-hum esta manhã pela primeira vez e aconteceu algo que não sei explicar e nem sei o que fazer depois disso. Enquanto pensava "so-hum" durante a respiração, fui ficando mais consciente do tempo entre as respirações. Foi algo tão marcante que me vi desejando querer parar de respirar e apenas vivenciar aquela experiência. Apesar disso, tentei continuar sentindo o tempo entre

as respirações e vivenciar o so-hum como uma pequena parte dele. Após uns trinta minutos, fui tomado por uma tristeza e caí em lágrimas. Acho que posso estar suprimindo alguma tristeza em minha vida. Você poderia explicar o que aconteceu?

Resposta:

Se você estiver suprimindo algum tipo de mágoa, ela certamente poderá surgir quando você se estabilizar na meditação e abaixar as defesas do ego. Caso tenha sido isso o que aconteceu, bastar aceitar a experiência como uma liberação emocional positiva e continuar a partir daí. No que diz respeito a sua prática de meditação, é importante não manipular o processo natural da técnica. Mesmo se a mente ficar fascinada por alguma experiência ou sensação, é melhor seguir o procedimento em vez de se desviar e sair do fluxo principal. Sempre que você notar que não está seguindo o processo, retorne a sua atenção para ele com calma e devagar.

MEDITAÇÃO E CONSCIÊNCIA DA RESPIRAÇÃO

Pergunta:

Quando medito, sempre tento seguir o seu procedimento inicial de perceber a minha respiração, mas sempre acabo dormindo. Geralmente eu medito às seis e meia da manhã e por volta das cinco da tarde. Além disso, quando tento me concentrar na respiração, ela sempre fica mais rápida e pesada, embora devesse ficar mais suave. Tentei não me concentrar muito e apenas perceber a respiração para não enfrentar o problema da respiração pesada. Há alguma solução para esses dois problemas? Ou estou fazendo algo errado?

Resposta:

Se a respiração ficar mais rápida e pesada sozinha, tudo bem. O corpo está se regulando automaticamente a fim de liberar o que precisa no momento da meditação. Não considere errado ou compare com o que "deveria" acontecer. A respiração mudará quando for preciso. Quando a questão atual for resolvida, a respiração naturalmente ficará mais leve e pura. Quanto a dormir, isso também é necessário no momento, então não resista nem suponha estar fazendo algo errado. Você pode se esforçar para ter mais horas de sono à noite, mas, às vezes, há condicionamentos profundos que exigem o sono especial originado da meditação para serem totalmente liberados. Basta continuar assim, pois a sonolência não será necessária em algum momento e a sua meditação ficará mais alerta e refinada.

RITMO DO MANTRA

Pergunta:

Quais são a velocidade e o ritmo adequados para recitar o mantra? Eu tendo a variar, dependendo do meu humor, e me pergunto se isso é o correto. Se estou preocupado com pensamentos quando começo a meditar, por exemplo, repito o mantra bem rápido na mente. Caso eu esteja tranquilo, associo o mantra à respiração ou canto mentalmente. Acho que funciona bem para mim.

Resposta:

Não imponha qual é a velocidade ou o ritmo específico à repetição do mantra. Deixe que ele siga o ritmo que desejar.

Não tente manipular isso de forma alguma. Se a repetição começar a acompanhar a sua respiração ou o coração, não estimule ou desestimule, apenas deixe acontecer. Não importa se ficar rápido algumas vezes e lento em outras. A regra principal é: quando você perceber que não está pensando no mantra, volte calmamente para ele.

MANTRAS E O CAMPO DA POSSIBILIDADE

Pergunta:
Você respondeu a uma pergunta sobre meditação com mantra da seguinte maneira:

"Usar um mantra durante a meditação dá a mente um veículo para vivenciar seus estados mais serenos, quando ela ressoa os impulsos do mantra com compaixão. Esse movimento não analítico de atenção com o mantra facilita a experiência da mente não local, pois a estrutura ressoante dos mantras imita as propriedades fundamentais daquele campo de todas as possibilidades no cerne do nosso Ser."

Por gentileza, você poderia explicar o que "imitar" significa aqui e quais são as propriedades básicas que estão sendo imitadas?

Resposta:
Os mantras foram conhecidos originalmente por videntes iluminados no passado remoto. As leis primordiais da natureza vivenciadas no cerne no Ser reverberaram na pureza cristalina da consciência desses videntes, que expressaram a experiência recitando os sons védicos que refletiam os impulsos da experiência vivenciada por eles. Esses são os mantras védicos. Quando meditamos usando esses mantras,

estamos, essencialmente, revertendo esse processo. Em vez de o mantra ser a expressão da experiência interna e não local, o impulso do mantra é apresentado à percepção e depois recebe a permissão para se dissipar naquele domínio não local. Os leves impulsos do mantra se estabilizando durante a meditação têm as mesmas estruturas dos impulsos da percepção iluminada que surgem daquele estado. É assim que a estrutura ressonante do mantra serve de veículo para que a mente faça a transição da diversidade para a simplicidade. A análise das propriedades do campo não local identificadas nas sílabas e sons dos mantras bija é um tema vasto e exige conhecimento de sânscrito védico.

TEMPO DE VIDA DO MANTRA

Pergunta:
Eu medito religiosamente desde 1990. O meu mantra é bom para sempre?

Resposta:
Um mantra funcionará de modo eficaz para você a vida inteira, desde que você continue meditando. Ele não se desgasta nem fica obsoleto. Na verdade, quanto mais você medita, mais o sistema nervoso ressoa e fica em harmonia com ele, aumentando a eficácia.

Existem técnicas adicionais de meditação que podem ser acrescentadas à prática a fim de acelerar o crescimento espiritual, mas elas apenas ampliam a meditação com mantra e não a substituem.

MUDANÇA DE MANTRA

Pergunta:
Tem problema usar um mantra diferente para meditar se você não gosta mais do que está usando?

Resposta:
Todos os mantras para meditação são igualmente eficazes, todos são veículos para conectar você ao Eu superior. É apenas uma questão de escolher o mantra mais adequado para o seu caso. Portanto, não há problema em mudar de mantra. Contudo, manter o mantra que foi dado a você é o melhor caminho, pois ao longo do tempo toda a sua natureza fica associada àquela vibração ou frequência, fazendo com que a sua conexão com o Eu superior seja muito familiar e aberta. Se o motivo para mudar de mantras é a impaciência, provavelmente o novo mantra não mudará essa experiência. Os mantras usados na meditação geralmente são do tipo bija, que significa "semente". Como toda semente, esses mantras precisam ser cuidados e alimentados para crescer e cumprir sua função na natureza. Se você estiver impaciente com o crescimento da sua semente, começar outra não vai acelerar o resultado. O mesmo vale para os mantras. Se você ficar com o mantra que recebeu, acabará se beneficiando dele.

MEDITAÇÃO COM CORES

Pergunta:
É possível meditar usando cores em vez de sons (mantras) para entrar em contato com o Eu superior?

Resposta:
Sim, e há práticas que usam a forma visual e as cores como veículo e incorporam o mesmo processo de a mente se estabilizar rumo ao campo de silêncio. Você pode transcender a mente usando técnicas que incorporam a experiência sutil de qualquer um dos cinco sentidos

REPETIÇÃO DO MANTRA

Pergunta:
Venho meditando há cinco meses e realmente tive muitos benefícios, mas de um tempo para cá algo me deixou confuso e não sei se passei a fazer algo errado. Recentemente, quando comecei a relaxar cada vez mais, ganhei uma percepção aguda das sensações no meu corpo, especialmente as batidas do coração. Estou sentado lá em silêncio, mas o som de tum--tum do meu coração parece alto, define um ritmo e sinto que preciso recitar o meu mantra nele. Então percebo que estou recitando o mantra de acordo com as batidas do meu coração e acho que não deveria estar recitando de modo tão mecânico, mas depois penso que não deveria parar o que está acontecendo naturalmente. A essa altura, percebo que não estou mais meditando, então, volto ao mantra e o tum-tum tum-tum me joga nisso de novo. Como parar essa associação entre o mantra e as batidas do meu coração?

Resposta:
Não tente desassociar o mantra das batidas do coração. Deixe assim por enquanto. Ele logo vai se descolar sozinho. Há vários ritmos aos quais o mantra pode ficar associado por algum tempo: o tique-taque do relógio, o barulho de

aquecedores antigos, a sua respiração. Seja qual for a fonte, não se preocupe. Continue com o mantra e não se importe com a associação dele às batidas do seu coração. É como dirigir na via expressa e observar que o mesmo carro está na pista ao lado há algum tempo. Você não atribui qualquer significado a isto, apenas continua dirigindo.

BENEFÍCIOS DA MEDITAÇÃO COM MANTRA

Pergunta:
Por que você enfatiza tanto a meditação com mantra? Há vários outros tipos de meditação tão bons quanto esse. Venho meditando há anos usando uma imagem que guardo no coração. Sei que tanto a Meditação Transcendental, que você apoiou no passado, quanto a Meditação do Som Primordial, que você ensina agora, usam mantras. O que há de tão especial nos mantras? Há algo que deixei passar?

Resposta:
Você tem razão ao dizer que várias técnicas eficazes de meditação não usam mantras. Eu mesmo recomendei a meditação da respiração por vários anos. Contudo, o importante ao escolher uma técnica espiritual não é se ela usa ou não um mantra e sim o quanto ela é eficaz para levar você além da prática e além da mente. Sempre que começa a meditar, você está usando a mente para pensar ou cuidar de algo (o próprio ato de tentar limpar a mente é uma atividade mental). A atividade mental da prática em si mantém você dentro da mente e fora da experiência unificada do Eu, que está além da dualidade da mente. O truque é fazer com que a atividade mental da meditação leve

você para além da atividade mental em si. As meditações que proporcionam isso o fazem avançar rapidamente no caminho da compreensão do Eu.

Os mantras são sons baseados em estruturas mecânicas e quânticas elementares da existência. Mantra vem da palavra *mantrayate*, o que leva a mente embora. Quando usados adequadamente, os mantras permitem que o nível ativo do funcionamento mental se estabilize naquele estado fundamental e não dual. Embora certamente não sejam a única forma de ir além da mente, os mantras são dons valiosos que os videntes antigos nos deram a fim de acessar facilmente o Eu.

MANTRA ERRADO

Pergunta:
Sou praticante avançado de meditação, participo do programa sidhi *e tenho certeza que as técnicas são muito boas para vários aspectos da vida, mas nos últimos dois ou três anos, sinto que o meu mantra não é o melhor para mim. As limitações do meu inglês não permitem explicar tudo, mas sinto que o mantra é fraco e desarmônico. Também acho que esse mantra aumenta a minha pressão sanguínea. Não sei o que fazer. Os professores de meditação não ajudam em casos como este. Passei muito tempo buscando informações sobre o assunto. Agora sei que esses mantras são tirados da tradição tântrica e criados especialmente para sua finalidade. Portanto, o mantra tântrico* hreeM *(com M/N nasal), por exemplo, se transformou em* hiring. *Isto me deixa confuso.*

Você poderia, por gentileza, responder estas perguntas?

— *Por que estes mantras se transformaram?*
— *É possível que pessoas comuns usem os mantras tântricos nativos?*

Resposta:

Começando pelo fim, sim, é possível que pessoas comuns usem os mantras originais da tradição tântrica de modo eficaz. Posso até estar errado, mas suspeito que o problema com a sua prática de meditação atual não está relacionado ao mantra que recebeu. A eficácia e adequação de um mantra não são determinadas pelo quanto você gosta dele, nem pela sua avaliação pessoal. O valor dos mantras bija e o efeito que eles têm na consciência foram verificados na vida dos investigadores por milhares de anos. Não é incomum passar por um período no qual a atitude em relação ao mantra seja de ceticismo ou dúvida. Isso não significa que haja qualquer problema objetivo com o mantra nem que ele seja inadequado, em geral, indica que estamos passando por um processo de limpar velhos condicionamentos relacionados a questões envolvendo confiança.

Na sua pesquisa sobre mantras, você está correto ao dizer que o mantra *Hreem* termina em um "n" nasal e que, às vezes, é traduzido para o inglês como *Hiring*. Porém, nenhuma dessas transliterações falhas importa, pois, na meditação em que você foi iniciado, o mantra foi passado oralmente, não foi escrito em um pedaço de papel. Então, supondo que o seu professor era competente, você ouviu o mantra corretamente e o percebeu em sua forma pura. Também é preciso ter em mente que o objetivo de certos mantras bija, como o que você mencionou, é permitir que a mente vá além das próprias limitações. Portanto, à medida que a mente vivencia níveis mais profundos de consciência, a experiência do mantra fica mais abstrata, vaga e indistinta. O mantra não é uma determinada palavra, grafia ou som, é uma vibração específica da consciência que terá um determinado som quando precisar ser comunicada a outra pessoa através dos sentidos. A pronúncia exata do mantra não importa neste nível não local de inteligência, e se a pessoa tentar manter uma pronúncia distinta quando a mente estiver no processo de transcender, esse esforço consciente para pronunciar corretamente vai minar o processo natural de meditação. Interferir nesse processo e não seguir as instruções, permitindo que o mantra mude ou desapareça é a única forma de deixar um mantra bija fraco ou desarmônico. Como médico, posso dizer que pode não ser fácil desconectar a sua natureza analítica da prática de meditação, mas a fim de obter o máximo de benefícios da meditação, é essencial seguir as instruções e não usar o esforço mental, deixando a tendência natural que a mente tem de buscar o todo fazer o trabalho por você. Peça ao seu professor para verificar a sua meditação. Isso vai ajudá-lo a voltar aos trilhos.

MEDITAÇÃO DO SOM PRIMORDIAL

Pergunta:
Participei da Meditação do Som Primordial (MSP) durante um de seus retiros Renewal Weekend e estou um pouco confuso em relação ao mantra. Quando começo a repetir o meu som primordial (mantra), por exemplo, passo a ouvir Deus falando e os anjos tocando música e cantando (ou os sons do universo, se preferir). Nesse caso, devo parar o mantra e começar a ouvir? Esta não é a primeira vez que ouvi uma pequena amostra do universo, pois outras formas de medi-

tação também abriram o meu coração para Deus. Entendo que devemos continuar repetindo o mantra independente do que ouvimos, vemos ou sentimos, e é isso que me deixa confuso. Se estou no que acredito ser o intervalo, então pergunto: por que preciso continuar repetindo o mantra visto que ele me distrai de simplesmente ouvir e escutar o universo? Você poderia, por gentileza, me ajudar a entender isso? Eu me pergunto se vou perder algo que deveria vivenciar caso pare de repetir o mantra

Resposta:
O objetivo da MSP é dar ao Eu superior a experiência direta de despertar para sua natureza verdadeiramente ilimitada. Então, por mais lindas que sejam essas experiências de orientação divina, anjos e música celestial, este não é o foco da prática. Desviar deliberadamente a atenção do procedimento da meditação para outra coisa nos tirará do processo. Todos os pensamentos e sentimentos que ocorrem durante a meditação podem ser considerados sinais para voltar à prática. Mesmo se parecer que você já está naquele estado de amor e inteligência não local, continue com a prática a fim de aprofundar e estabilizar mais a experiência. Depois de meditar, você pode explorar à vontade as experiências celestiais que tiver

MANTRA SATNAM

Pergunta:
Venho meditando há alguns anos, mas não regularmente. Após ler o seu livro SynchroDestiny, *decidi meditar de modo consistente e tenho usado um mantra chamado* satnam.

Estou tentando usar o mantra so-hum como você sugeriu no livro, mas estou tendo dificuldade. Por favor, me diga o que fazer: posso usar satnam como mantra ou devo me acostumar ao so-hum?

Resposta:

A meditação so-hum que recomendo no livro não tem a intenção de suplantar a sua prática de meditação atual. Se você está feliz com a prática atual, por favor, continue com ela. A meditação so-hum é uma técnica simples que não exige um professor e, portanto, é gratuita. É oferecida para quem gostaria de começar a meditar, mas que por um motivo ou outro não está pronto para aprender com um instrutor. Mesmo assim, incentivo os que apreciam os benefícios da meditação so-hum a aprenderem uma prática de meditação formal, como a Meditação do Som Primordial, com um professor qualificado em algum momento.

O intervalo

O ESPAÇO ENTRE OS PENSAMENTOS

Pergunta:
No seu livro, em uma seção chamada Lei da Intenção e do Desejo, você fala em "entrar no espaço entre os pensamentos." O que isso significa?

Resposta:
O espaço entre pensamentos é o intervalo, a base silenciosa e criativa da nossa criatividade, que é a percepção sem forma e limites. Nós nos familiarizamos com essa natureza profunda da existência através da meditação. Uma vez que ela seja uma parte estável e acessível da nossa consciência, fica gradualmente mais fácil desviar a atenção dos pensamentos, desejos e intenções concretas para não pensar e não ter intenção. Esse lugar do não pensar é o espaço entre pensamentos, o terreno fértil a partir do qual a realização de nossas intenções se manifesta. Aprender a entrar no espaço entre os pensamentos é o que permite que nossas intenções se transformem em realidade.

CONSCIÊNCIA SEM UM OBJETO

Pergunta:
A consciência pode existir sem algum sujeito (pensamento, sentimento, respiração, sensação, experiência etc.) para estar consciente?

Resposta:
Quando meditamos com um mantra e à medida que a mente se estabiliza, ela vivencia o pensamento do mantra em versões cada vez mais puras até o aspecto mais puro do mantra ter se esvaído e a consciência ficar lá, sozinha, sem um objeto da experiência, desperta para a sua natureza pura.

ENTRAR NO INTERVALO

Pergunta:
Qual é o método prático para entrar no intervalo?

Resposta:
O intervalo está sempre lá, na base de todos os nossos pensamentos e atos, mas nem sempre usamos o poder do intervalo para realizar nossas intenções porque a mente não está acostumada a pensar a partir desse nível silencioso de percepção sem que a atividade mental nos tire desse estado. O método mais prático para entrar no intervalo e ser capaz de ter intenções a partir do nível do intervalo é a prática da meditação silenciosa. A meditação cultiva a capacidade de manter a percepção do Eu enquanto a mente cogita pensamentos e sentimentos. Quando a percepção

orientada para o Eu estiver permanentemente estabelecida, será possível ter intenções a partir do intervalo o tempo todo, independente de estarmos meditando ou não.

PENSAR DURANTE O INTERVALO

Pergunta:
É possível ter algum pensamento enquanto se está no intervalo? Se os pensamentos estão presentes no intervalo, isso indica que não estamos no intervalo? Uma vez no intervalo, o que devo vivenciar? Os pensamentos existem quando manifestamos o destino? Talvez isso seja respondido quando terminar de ler o livro, mas gostaria da saber o que você pensa sobre o assunto.

Resposta:
Você pode ter pensamentos enquanto estiver no intervalo após ter cultivado familiaridade o suficiente com esse estado. Inicialmente, assim que você tiver um pensamento e estiver no intervalo, a atividade mental vai tirá-lo desse estado quieto. Após algum tempo, você será capaz de ter uma vaga sensação e continuar nesse estado de percepção. À medida que isto se desenvolve, será possível cogitar um impulso ou intenção silenciosa enquanto continua no intervalo. No fim, você será capaz de fazer qualquer atividade física ou mental enquanto a mente continua em contato com este campo de todas as possibilidades.

O INTERVALO E A MEDITAÇÃO

Pergunta:
Você disse em uma postagem: "Tenha em mente quando meditar que os pensamentos são parte essencial da meditação. Mesmo com uma enxurrada de pensamentos, você poderá meditar facilmente." Estou curioso sobre o tipo de pensamento do qual você fala. Acho difícil descobrir se estou no intervalo quando medito porque raramente chego a um estado de silêncio onde não haja pensamentos passando pela cabeça. Eu consigo fazer exercícios de meditação sem ter de afastar pensamentos intrusivos da mente, mas me pergunto se eles são eficazes se eu não alcançar este estado de "silêncio" antes ou depois da meditação direcionada. Você poderia explicar essa afirmação sobre pensamentos durante a meditação?

Resposta:
Os pensamentos que surgem nesse momento ocorrem devido à normalização do antigo condicionamento após mente e corpo se estabilizarem com a experiência refinada do mantra. A descida da mente que ocorre com a apresentação do mantra fornece a profundidade de repouso que permite liberar as tensões e limitações existentes no corpo. Essa liberação ativa a manifestação da atividade mental e é isso o que vivenciamos como pensamento ou série de pensamentos durante a meditação. Esses pensamentos são fundamentais para a meditação, pois indicam que uma cura ou limpeza importante já ocorreu e agora estamos prontos para recomeçar o ciclo de descida da meditação. A meditação é eficaz desde que a façamos de modo adequado e com facilidade, independente de observarmos qualquer sentimento específico de silêncio.

O intervalo é um termo usado para descrever os pontos criativos entre estados manifestos de pensamento. Quando temos proficiência e familiaridade profundas com o silêncio do Eu que é a fonte do pensamento, somos capazes de funcionar dentro do intervalo sem perturbar o silêncio dessa percepção. No início, a experiência do intervalo costuma ser efêmera e às vezes reconhecida apenas através da inferência de que havia "algo" entre a sua recordação da técnica de meditação e os pensamentos subsequentes. Este é o vislumbre do intervalo. A facilidade de operar no intervalo não pode ser apressada ou forçada por ser subproduto direto da estabilidade da nossa percepção orientada para o Eu que se acumula ao longo do tempo.

TESTEMUNHA SILENCIOSA

Pergunta:
Esse caráter praticamente intangível, esse observador silencioso, testemunha que observa o mundo pelos meus olhos e por outros sentidos, esse caráter imutável que pareço reconhecer cada vez mais à medida que minha prática se desenvolve e que estava comigo desde o nascimento é a minha alma, minha jiva?

Se isso se desenvolver mais e a minha principal ambição, desejo ou objetivo consiste em desenvolver a espiritualidade o máximo possível nesta vida, esse desejo e desenvolvimento acumulados estarão presentes no próximo estágio da minha alma?

Resposta:
A testemunha silenciosa é o Atman, o conhecedor interno. É um nível mais universal da nossa identidade do que a

jiva, que é o veículo para o nosso carma, condicionamento e ego. Uma vez que tivermos compreendido totalmente o Eu como consciência pura, o Atman, então o objetivo evolutivo da jiva estará completo. Conquistamos a iluminação e não precisamos mais continuar o ciclo de nascimento.

A respeito da sua pergunta sobre manter o desejo espiritual na próxima etapa da alma, não há como dizer. É certo que independente do caráter geral da compreensão do Eu conquistado em uma etapa, ele será mantido no estágio subsequente de crescimento. Digamos que é possível perder terreno, mas isso acontece apenas através das próprias escolhas, não por padrão. Nossas escolhas no presente também são o caminho pelo qual continuaremos a progredir espiritualmente em qualquer etapa futura do crescimento. Esse é o grande poder e a grande responsabilidade associados ao o livre-arbítrio.

OUVIR DURANTE A MEDITAÇÃO

Pergunta:
Li vários de seus livros e gostei da sua entrevista no programa de rádio Coast to Coast. *Como sou motorista de caminhão, e estava trabalhando enquanto ouvia, não consegui ligar para o programa. Minha pergunta é: durante a meditação, consigo colocar meu corpo para dormir enquanto mantenho a mente desperta. Isto silenciou totalmente a minha voz interior, mas consigo ouvir os sons ao meu redor. É esse o intervalo do qual você fala em seus escritos? Isso também produziu um efeito no qual eu fico nesse estado por cerca de uma hora e volto*

com a sensação de ter dormido uma noite inteira. Fazer isso suspende ou diminui a velocidade do tempo de alguma forma, produzindo esse efeito?

Resposta:

Perceber os ruídos ao seu redor durante a meditação mesmo enquanto o corpo está em um estado muito profundo de repouso é perfeitamente normal. A mente pode vivenciar a percepção silenciosa do intervalo e continuar notando os sons do ambiente. O rejuvenescimento após meditar, como se tivesse dormido uma noite inteira, também é típico, porque o corpo consegue obter um nível muito profundo de repouso nesse breve intervalo de tempo.

QUEM EU SOU, O QUE EU QUERO?

Pergunta:

Você mencionou que para estar contente na vida em termos espirituais, emocionais, físicos e mentais, devemos nos fazer duas perguntas todos os dias e esperar a resposta: quem sou eu e o que eu quero? O que devo ouvir?

Resposta:

Você deve ouvir o que o seu Eu superior responder. Não há resposta correta em relação ao que você deve ouvir. É um diálogo constante de autodescoberta que se desenvolve cada vez mais todos os dias. O que você deve aprender a seu respeito ao longo do tempo é que quem você é se define cada vez menos pelas características físicas e crenças pessoais e cada vez mais pelos atributos universais e imutáveis do Eu superior.

À medida que você se aprofundar na sua natureza, também descobrirá que o que você quer é menos uma questão de ter dinheiro e objetos e mais de se tornar abundância, júbilo e realização em si.

Não tente pular à frente do ideal, apenas ouça e siga o que realmente ouvir. É mais produtivo seguir essa voz autêntica do que você é e o que você quer agora, pois é isso que libera a transformação para a sabedoria mais profunda.

VIVER NO INTERVALO

Pergunta:
Viver no intervalo é o objetivo máximo? Se o intervalo é a janela para a mente universal, devemos continuamente fixar a atenção nele? Parece que a qualidade mais alta da consciência pode ser conquistada se eu abandonar todos os pensamentos, focar no intervalo e lidar com o que surgir espontaneamente.

Resposta:
O intervalo é o caráter da percepção no qual todas as possibilidades estão despertas. É o estado natural de equilíbrio no qual a mente individual está completamente alinhada com a mente cósmica. Qualquer pensamento ou impulso a partir dessa consciência é um pensamento ou impulso apoiado por todas as forças da natureza.

Viver no intervalo não é uma habilidade adquirida por meio do esforço ou foco. É uma questão de simplesmente ser o que e quem você é em sua essência. É assim que o sistema nervoso humano é projetado para funcionar quando todo o condicionamento patológico for removido.

TEORIA DE TUDO

Pergunta:

Recentemente li algumas informações sobre o atual desenvolvimento da "teoria de tudo", mais especificamente da "teoria das supercordas", que afirma que todas as partículas e forças são manifestações de pequenas vibrações de cordas (ou talvez membranas) unidimensionais que vibram em dez dimensões. A palavra "vibração" me fez pensar, de pronto, em como você fez uma descrição parecida do caráter subjacente de tudo. E o termo "cordas" me fez pensar em como tudo está conectado. Acho fascinante que a ciência esteja começando a revelar o que os antigos rishis diziam há milhares de anos. Quais implicações você acha que uma "teoria de tudo" trará para nossa vida diária?

Resposta:

É excitante observar o progresso das teorias quânticas modernas chegando cada vez mais perto de descrever o processo da criação a partir do nível não manifesto da vida. O que essas teorias estão realmente explicando, a partir de um ponto de vista objetivo, é a dinâmica da consciência no cerne da existência. As grandes teorias unificadas em algum momento terão aplicações profundas em tecnologias externas, mas o efeito mais importante virá quando as pessoas perceberem que podem ter acesso a esse campo dentro da própria percepção silenciosa e que podem participar do processo criativo da vida aprendendo a operar a partir do intervalo. Quando os indivíduos aprenderem essa tecnologia subjetiva da consciência, as imensuráveis implicações desse conhecimento começarão a ser sentidas em todas as áreas da vida.

DESVIAR A ATENÇÃO INTERNA

Pergunta:
Quando você nos pede para desviar a atenção de volta para quem está ouvindo, quem está desviando a atenção? É a testemunha que está desviando a atenção de volta para si?

Resposta:
Sim, é a percepção silenciosa que desvia a atenção para dentro e para si mesma ao invés de para fora, através dos sentidos e objetos de percepção. Ela é que está dentro de você, ouvindo e observando tudo o que você pensa, sente e faz.

A testemunha interior pode ser orientada para o Eu e, portanto, consciente de si. É por isso que a presença do Eu é chamada de consciência: ela se conhece através de si e por si. Assim, ela desperta para a potencialidade total.

MENTE VAZIA

Pergunta:
No livro As sete leis espirituais do sucesso, *você diz que precisamos colocar nossas perguntas e desejos em nosso vazio. É o espaço vazio entre os pensamentos e, para chegar lá, é preciso ultrapassar a mente.*

Mas para colocar minhas perguntas e desejos lá, eu preciso usar a mente. Acho isso contraditório e gostaria de saber se você pode me ajudar.

Resposta:
O estado da mente vazia também é um estado de potencialidade pura e percepção não localizada. Esta é a

noção mais simples e completa do Eu, que existe além dos estados relativos da mente com seus pensamentos e sensações e também é imanente a ela porque, em termos lógicos, a mente ativa é capaz de ser não ativa ou silenciosa. É da natureza da mente gravitar para esse estado de quietude interior se houver a oportunidade. Em geral somos condicionados apenas a direcionar nossa percepção para fora através dos sentidos e, portanto, manter a mente em um estado de turbulência perpétua. A meditação dá à mente a oportunidade de suspender esse condicionamento e permite que a atenção procure esse campo de realização e silêncio internos de modo espontâneo. Através do mantra, a mente ficará naturalmente quieta e vazia: este é o intervalo. É nesse reino quântico que podemos apresentar nossas intenções e perguntas para serem manifestadas.

O VÁCUO E A MEDITAÇÃO

Pergunta:
Às vezes quando tento meditar, vivencio um medo de "renunciar" minha consciência para um vácuo (e, que de alguma forma, o meu ser vai se desintegrar) e não sei se isso tem a ver com o fato de crescer rezando para um Deus ou Jesus "pessoal". Na verdade, não sei para quem ou o que eu rezo, talvez eu pense nesse interlocutor como a "fonte da minha vida", mas busco o conforto de "personalizar" o objeto das minhas preces. Da mesma forma, sinto medo de ir para o limbo se eu morrer sem ter "Jesus" como parte da minha vida. Você poderia me dizer quem ou que é "Jesus"

no contexto da vida de uma pessoa e como devo abordar a experiência da meditação?

Resposta:

Não tenho certeza se essa questão está relacionada ao seu hábito de rezar para um Deus pessoal porque a maioria das pessoas reza para algo e não vejo esse medo do vazio na meditação associado a pessoas que rezam. Isso geralmente está relacionado a alguma ideia antiga de que a ausência de forma se iguala à extinção ou aniquilação. Você precisa de um contexto diferente para entender o que está realmente acontecendo na meditação. Você não está perdendo a consciência para nada. Na verdade, você está entrando em sua verdadeira natureza. Então, em vez de enquadrar essa experiência em termos de abrir mão de sua consciência para um vácuo, veja como um processo de entrar na sua essência, na sua força. Dessa forma, à medida que a sua percepção ficar mais refinada, você poderá se sentir mais seguro ao entrar em algo que na verdade é mais real e duradouro do que a sua vida orientada a objetos

APEGO NO INTERVALO

Pergunta:

Nos livros, você costuma dizer que um dos passos para alcançar todos os seus desejos é abandonar o apego ao resultado, pois isso faz você sair do intervalo. Eu queria ter uma compreensão mais clara desse ponto e também saber como meu apego ao resultado afetará o efeito desejado.

Resposta:

O apego ao resultado do desejo mantém a percepção em um nível mais localizado e menos poderoso do funcionamento da natureza. Por isso, o desejo perde o apoio universal do cosmos e, consequentemente, não se manifestará ou não será fácil. Além disso, o apego aos desejos significa que o resultado não será benéfico a todos os níveis da vida. Isto significa que ele pode satisfazer alguma necessidade temporária para nós, mas causar problemas a outras pessoas, ao ambiente ou a outros aspectos da vida de quem desejou. É por isso que o desapego não é apenas um luxo na vida, e sim a forma como somos projetados para pensar de modo mais eficaz

PENSAR E CRIAR

Pergunta:
O que você quer dizer com "intenção"? Se uma pessoa agora tem a capacidade de criar a própria realidade, então, obviamente, precisa dos pensamentos (do pensar) para decidir o que criar, mas para criar, é preciso abandonar os pensamentos e ficar quieto.

Resposta:
A intenção é o pensamento que dá forma e direção ao que estamos manifestando. O silêncio do intervalo profundo dentro da consciência é onde residem as forças da criação, que animam e apoiam a nossa intenção para que se manifeste. O processo de abandonar ou desapegar é a mente orientada para o Eu colocando atenção no processo de modo fluido, sem interferir nele através do medo ou da expectativa. Parece complicado quando se explica, mas na prática é muito mais simples e fácil ter pensamentos a partir do nosso Eu sereno e criativo.

PLANTAR SEMENTES NO INTERVALO

Pergunta:
Mesmo após ler alguns dos seus livros, estou confuso sobre plantar as sementes dos desejos (ou vontades) no intervalo entre pensamentos. Você poderia, por gentileza, ser mais específico em termos de como fazer isso? Devo pensar nos meus objetivos enquanto estou transcendendo? Ou projetar o tipo de resultado que procuro na tela mental enquanto medito?

Resposta:
Quando você está praticando um tipo de meditação com objetivo de transcender e vivenciar o Atman, é melhor não tentar fazer mais nada nesse período. O melhor momento para plantar as suas intenções no intervalo é no período após a meditação, enquanto a percepção se mantém no campo sereno de todas as possibilidades. Depois de meditar por alguns meses ou anos, a mente se habitua a continuar no estado de silêncio do Eu sem que a atividade do pensamento tire você de lá. O objetivo é ter o estado de consciência pura estabelecido tão firmemente que você continue neste silêncio enquanto apresenta uma intenção específica ao intervalo. Após projetar a intenção neste nível, deixe-a ir, simplesmente parando de pensar nela. Isso permite que o desejo seja alimentado e desenvolvido pelo reino quântico e se manifeste no objetivo pretendido. Depois de algum tempo, você pode reapresentar o desejo no intervalo. É possível repetir esse procedimento por alguns minutos após o período diário de meditação.

LIBERAR A INTENÇÃO

Pergunta:

Ao praticar a Lei da Intenção e do Desejo, devo usar a mesma lista toda semana? Estou confuso porque, no fim das contas, se quero liberar essa lista para o universo, o que acontece se eu me concentrar nos mesmos desejos no dia seguinte?

Resposta:

Você pode manter a lista de intenções até que elas se realizem. Liberar a lista para o universo não significa que você precisa criar uma lista nova a cada semana e sim que você deve abandonar o apego ao tempo e à estrutura de como as intenções se manifestam. A Lei da Intenção é o princípio da natureza que mostra como podemos transformar conscientemente o conteúdo do nosso mundo estimulando o poder organizador infinito da natureza na base da criação, que é nossa verdadeira natureza. Então, continue apresentando suas intenções para o intervalo e acredite que o computador cósmico está orquestrando todos os detalhes necessários da sua lista de acordo com suas necessidades e que o resultado perfeito está sendo organizado além do que você concebeu.

DUALIDADE E DESEJOS

Pergunta:

Entendo como a realização dos desejos a partir do nível do intervalo usa o fluxo natural da evolução para trazer mais paz, felicidade e realização. O que não entendo é como esse processo de manifestar as intenções a partir daquele campo de todas as possibilidades consegue nos tirar da dualidade e colocar na consciência da unidade. Parece que ao manifestar algo a partir do Eu superior, você está perturbando essa unicidade e silêncio, voltando para a dualidade (você e o objeto que criou) e a ação. Parece que manifestar desejos a partir do intervalo apenas mantém o indivíduo no ciclo cármico da dualidade em vez de libertar a pessoa dele.

Resposta:

A principal diferença no efeito libertador de manifestar desejos a partir do intervalo é a presença da consciência pura, o Eu superior. A prática prolongada da meditação nos familiariza com o silêncio do Eu e também com a experiência dos pensamentos e sensações que surgem desse silêncio. Dessa forma, nós nos acostumamos a ver como o não manifesto se manifesta, como a potencialidade pura e sem forma toma forma.

Essa zona de transição entre o silêncio puro e a ação é o intervalo ou reino quântico. Quando a percepção do Eu está firmemente estabelecida, podemos ter pensamentos e sentimentos sem sair daquele estado e permanecer neste nível. A partir daí, podemos apresentar nossas intenções ao intervalo e deixá-las ir. Essa etapa marca a transição de mero observador de como a consciência se manifesta espontaneamente para criador ativo de estados específicos a partir da própria percepção e de acordo com a própria vontade.

À medida que a consciência continua se purificando, começamos a observar que há forças primordiais atuando em cada etapa da manifestação das nossas intenções. Estas leis da natureza guiam a transformação daquela semente de intenção, indo da potencialidade à manifestação total. Ao longo do tempo, os detalhes mais refinados da dinâmica da consciência se revelam de modo que a atividade e a diversidade das leis da natureza operando no tecido da intenção são reconhecidas como impulsos da consciência pura do individuo. Esse movimento de percepção na intenção não altera o silêncio do Eu, e a diversidade de sua expressão não quebra a consciência da unidade entre o Eu e o objeto criado. A consciência continua orientada para o Eu mesmo enquanto estiver funcionando em multiplicidade. É assim que realizar os nossos desejos a partir do intervalo preenche o intervalo entre o Eu e o não Eu e nos dá consciência da unidade. Este é nosso direito de nascença: a dignidade natural da vida vivida em seu potencial pleno.

Superando o medo

ORIGEM DO MEDO

Pergunta:
Estava me perguntando por que cada um de nós tem medos específicos. Tenho muito medo da violência. Isso significa que não estou enfrentando um aspecto da sombra do Eu ou pode estar relacionado ao carma?

Resposta:
Os Upanixades declaram que todo medo nasce da dualidade. O indivíduo se sente ameaçado por algo que está fora de si. Quando a consciência alcança a unidade, não há dualidade e não há medo, porque não há "outro" capaz de ameaçar.

Nossos medos específicos são decorrentes de experiências anteriores dessa natureza nas quais personalizamos profundamente a noção de ameaça. O seu medo de violência, tanto vítima quanto perpetrador, parece indicar que você teve algumas experiências passadas nos dois papeis que ficaram arraigadas na sua psique. O medo não significa nada para o Eu verdadeiro, que está além de todos os medos, apenas indica as antigas impressões acumuladas por você. Além disso, a sombra do eu é formada a partir das identificações falsas de experiências passadas. Então, seja qual for o ponto de vista, continua sendo devido ao carma antigo.

PENSAMENTOS NEGATIVOS

Pergunta:
Há um problema quando começo a meditar. Enquanto me concentro nas minhas respirações, assuntos e questões ruins e negativas vêm a minha mente e tenho medo de que essas coisas ruins virem realidade.

Resposta:
O caráter dos pensamentos durante a meditação está relacionado ao caráter do carma inicial que começou o padrão. Lembre-se: os pensamentos indicam a liberação do condicionamento, não a perpetuação dele. Você não manifestará esses pensamentos e não precisa ter medo ou ficar fascinado por eles. Em vez de prestar atenção ao conteúdo emocional dos pensamentos durante a meditação, basta notar que você está tendo o pensamento ou sentimento. A partir dali, será possível facilmente retomar a atenção ao processo de meditação em si, acompanhando a inspiração e a expiração com o mantra so-hum.

IMAGENS ASSUSTADORAS

Pergunta:
Venho lendo o seu trabalho e aprendendo sobre a nossa parte mais profunda, mas o que vejo não é bonito. Quando tentei meditar, vi situações terríveis, que me deram muito medo. Se

quero ver um mundo melhor, por que só vejo dor e perversão? Sinto que minha mente está doente.

Resposta:

O que você está vendo nas profundezas da sua mente são imagens efêmeras não muito importantes. Desvie a atenção do que está vendo para quem está tendo essas visões. Esse vidente é quem você é. Isso é o que importa, e não as imagens que sempre mudam. Observe dentro de você quem está vendo estas imagens. O conhecedor interno é o Eu superior, a testemunha silenciosa que não muda, independente do que esteja vendo, sentindo ou fazendo. À medida que você aprende a virar a chave da percepção para a presença silenciosa do Eu, essas imagens assustadoras e fantasmagóricas perdem a força e se dissolvem no silêncio.

MAIS SOBRE SEGUIR O SEU CORAÇÃO

Pergunta:

É possível que a voz do coração possa ser distorcida pelo antigo condicionamento da mente? Às vezes, quando antecipo determinado evento, por exemplo, sinto medo ou nervosismo, mas ao passar pela situação, consigo ver que era uma experiência de aprendizado e cresci com ela. Estou confuso porque sei que o medo não é uma emoção "verdadeira", pois a alma é destemida e, às vezes, parece que meus sentimentos vão preferir um ambiente de segurança quando sei que não é isso o que realmente quero e sei que isso vai me impedir de ser eu mesmo ou de agir com paixão verdadeira. Essas sensações de medo e necessidade de segurança vêm da região abdominal. Será que estou ouvindo o lugar errado?

Resposta:

O antigo condicionamento certamente influenciará a voz do coração. Todos esses velhos medos, crenças limitadoras e mal-entendidos viram parte do que ouvimos quando escutamos nosso coração. O que precisamos aprender a fazer é ouvir a voz silenciosa e calma por baixo de tudo isso, que é a voz genuína do coração. Esse conhecimento interior sempre será simples, natural e positivo. Você não precisa se preocupar com o local no corpo de onde vem esse conhecimento, o importante é aprender a reconhecer o caráter da voz. Mesmo se a ação que ela indique para você fazer não seja fácil ou indolor, você sentirá uma "certeza" em relação a isso. Agarrar-se a essa certeza permitirá que você vá além com suas ações apesar dos medos, das dúvidas e da confusão em segundo plano que fazem parte do seu condicionamento antigo. Essa sensação de "certeza" é a voz do dharma que está lá para guiá-lo em todas as circunstâncias rumo à compreensão do seu verdadeiro potencial.

ENTENDER O LADO SOMBRIO

Pergunta:

Preciso de alguns esclarecimentos em relação ao lado sombrio ou aspecto da sombra dos seres humanos. Não tenho certeza se o lado sombrio é algo permanente na percepção (devendo ser aceito e integrado) ou se deve ser transcendido com o tempo através da prática diligente da meditação.

A sombra do Eu é o condicionamento antigo, o estresse acumulado e o carma? Com tempo suficiente e esforço na meditação, podemos acabar superando a negatividade e emergindo no amor incondicional?

Outras vezes, contudo, parece que a sombra é retratada como algo permanente e inescapável da condição humana. O objetivo é simplesmente reconhecê-la, aceitá-la e aprender a viver com ela? Se a pessoa tende a favorecer os aspectos positivos em vez dos negativos, isso necessariamente significa que ela está se negando e suprimindo partes de si? Não consigo imaginar alguém que não prefira o amor em vez do ódio.

Os iluminados realmente têm os mesmos aspectos da sombra de todos nós? Se sim, o que exatamente faz com que eles sejam iluminados? Ou eles realmente abandonaram isso e foram além de toda a negatividade?

Resposta:

Quando aceitos, integrados e curados, os elementos sombrios deixam de estar nas sombras. Reações como ódio e ganância desapareceriam porque a ignorância que as mantém no lugar seria substituída pela percepção do eu. Nesse sentido, portanto, a sombra ou lado negativo não é permanente. O que é permanente são esses elementos básicos da personalidade que eram problemáticos e reprimidos, mas agora estão trabalhando sem problemas em harmonia com as nossas aspirações espirituais. A força e a energia daquela parte anteriormente tirada de nós foi trazida de volta ao alinhamento com o nosso objetivo maior.

A ignorância, a vergonha, a culpa e o medo que compõem o lado sombrio não são características permanentes da percepção humana. Quando superamos esses aspectos da psique, não criamos mais essas sombras. É como se o conteúdo da consciência ficasse totalmente transparente à luz.

A ideia do lado sombrio é diferente do que você descreveu mais adiante como a necessidade de contrastes ou opostos para dar sentido a nossa experiência. Não é necessário ter uma parte oculta abominável em nós para conseguirmos amar. Uma pessoa iluminada, mesmo que não tenha mais um lado oculto motivado pela vergonha, culpa ou medo, é capaz de amar e de expressar a gama total da experiência humana.

IMAGENS PERTURBADORAS DURANTE A MEDITAÇÃO

Pergunta:
Fui a um instrutor de Meditação do Som Primordial ano passado e fiquei extremamente satisfeito com a orientação. Porém, quando medito, costumam vir à mente imagens do meu rosto sendo destruído, do corpo sendo esfaqueado ou do coração sendo atingido. Isso me faz pensar que posso estar, sem querer, manifestando essas imagens dolorosas para a realidade e atraindo o pior para mim (pois não tenho intenção que essas imagens aconteçam, elas apenas aparecem na minha mente sem que eu as deseje.)

Estou escrevendo para saber sobre plantar as sementes do desejo no intervalo a fim de manifestá-lo. Sempre que tento visualizar algo de bom para a minha vida, surge uma imagem mental horrível com o exato oposto do que eu quero. Começo a suar, o coração bate mais forte e me sinto muito derrotado. Tento mudar a imagem para algo melhor, mas esse medo cresce dentro de mim e faz com que essa imagem de mim mesmo apareça ainda mais aanificada e mutilada

Por favor, diga como devo meditar. O que devo fazer? Deixo essas cenas virem à mente e arrasarem a minha imagem? O que faço para impedir que o mal se manifeste em minha vida, visto que nesses últimos dois anos eu atraí exatamente o oposto do que realmente quero?

Estou desesperado, pois sinto que não tenho controle sobre a minha mente ou dos pensamentos que entram nela quando faço a Meditação do Som Primordial. Há esperança de que eu consiga manifestar o bem que realmente desejo em vez do seu extremo oposto? Há alguma técnica especial para impedir essas imagens dolorosas de entrarem na minha mente? Não consigo pensar no meu rosto ou corpo sem a imagem de ser esfaqueado, espancado ou mutilado. Você poderia, por favor, me aconselhar sobre alguma nova prática de meditação?

Resposta:

Essas imagens perturbadoras provavelmente representam a lembrança de algum trauma do qual você não está mais ciente, mas está armazenado nas células do seu corpo. Você não está manifestando os eventos desagradáveis na sua vida a partir da prática espiritual, na verdade eles estão sendo atraídos para o seu medo em relação a essas imagens. Essas lembranças estão emergindo como imagens agora porque este é o momento apropriado para curar esse trauma. Então é melhor não interromper as imagens, pois você precisa curar de vez o trauma de onde elas estão vindo.

A melhor forma de lidar com essas imagens perturbadoras durante a meditação é parar a prática por enquanto, pois é melhor não forçar a meditação em oposição a estas imagens. Cada imagem ou ideia mental precisa ter um processo paralelo no corpo, então se você tem imagens recorrentes na mente, há sensações correspondentes em algum lugar da sua fisiologia. Desvie a atenção das imagens perturbadoras para o seu corpo e tente perceber onde a respectiva sensação está localizada e como ela é. Ao se afastar das imagens visuais, você remove o componente do medo. Apenas preste atenção à sensação, onde ela está no corpo e se ela muda ou se move. Respire na sensação se isso ajudar a se conectar mais com ela. O que você está fazendo é usar a atenção consciente para cooperar com o processo físico de cura, a fim de deixá-lo mais suave, mais profundo e menos assustador.

Não há problema em usar boa parte do seu tempo de meditação fazendo esse processo. O antigo trauma acabará sendo normalizado e você poderá retomar a meditação regular e a prática de colocar as intenções no intervalo. Alguns exercícios extras e trabalho corporal, como massagem, durante este período, também podem facilitar o processo de cura.

FICAR NO PRESENTE

Pergunta:
Você tem alguma dica para me concentrar no agora sem cair nos medos do futuro ou do passado?

Resposta:
Ficar no agora, no fim das contas, diz respeito a fazer com que o Eu autêntico, a testemunha silenciosa interior, se torne uma presença dominante na percepção diária. Lembretes para voltar ao momento presente serão úteis apenas na medida em que você já estabeleceu uma experiência do cerne do Eu através da meditação. Uma forma fácil de fazer isso é respirar fundo duas ou três vezes e se conectar silencio-

samente à presença tranquila interior que você vivencia na meditação toda vez que estiver preso aos padrões mentais das dores passadas e medos futuros. Este "você" está seguro, completo e realizado agora, neste exato momento, e esta é a sua verdadeira natureza. Esses pequenos lembretes podem ser úteis para ajudar o Eu superior a marcar posição na sua percepção ativa, valorizando a presença dele

TRANSMUTAR O MEDO

Pergunta:
Já li alguns livros espirituais que discutem a "transmutação dos medos", dizendo especificamente que ao liberar seus medos para os céus eles sofrem uma transmutação. As práticas espirituais aprovam a ideia de que os medos podem ser "modificados" quando levados a um nível superior? Se for o caso, o que significa passar por essa transmutação? Eles viram uma intenção "boa" ou simplesmente somem?

Resposta:
As tradições da sabedoria antiga sugerem que o medo nasce da percepção da dualidade. Essa dualidade origina a percepção incorreta de que o objeto da experiência é separado do observador e, portanto, algo a ser temido. A liberdade do medo ocorre ao se vivenciar a unidade no cerne da consciência. Nessa experiência de percepção não local, esse medo é dissolvido. Assim como uma sombra escura à noite assusta ao dar a impressão que um possível agressor está à espreita, esse medo desaparece quando luzes revelam ser um objeto inofensivo.

Através da experiência constante do Eu verdadeiro, iluminamos todas as sombras assustadoras da psique e as abandonamos, ou talvez elas nos abandonem.

O CORAÇÃO E AS EMOÇÕES

Pergunta:
Na lei do carma, você mencionou que devemos perguntar ao nosso coração antes de tomar uma decisão. Sinto que gestos como amor, ódio, ciúme, vingança e afeto vêm apenas do coração, então, como pode o coração ser imparcial? Além disso, o coração não se esquecerá de se vingar dos outros. Ele irradiará amor para alguém, mas ao mesmo tempo vai querer vingança se a pessoa amada não responder a esse amor. Então, sinto que a combinação de ódio e vingança surge do coração. Às vezes, odiamos alguém sem motivo. Às vezes, odiamos alguém que se parece com o nosso inimigo. Outras vezes, somos muito gentis com alguém sem motivo. Esses tipos de sentimento vêm do coração. Sinto que o coração, às vezes, faz as coisas às cegas. Só a mente é sempre justa, mas é incontrolável. O coração, contudo, é cego e instável, podendo mudar a qualquer momento. Por favor, diga se estou errado

Resposta:
O coração ao qual me refiro em *As sete leis espirituais do sucesso* é aquela voz da verdade dentro de nós que está além de todas as lembranças de mágoas que dão origem a sensações de ódio, vingança e inveja. Essas emoções são nocivas, destrutivas e surgem do antigo condicionamento, baseado em uma ideia falsa de eu. A fim de obter uma mensagem pura do coração, sem as distorções geradas por sentimentos

de ódio, inveja ou vingança, precisamos ter acesso claro e consciente àquela câmara silenciosa do coração que permanece sempre intocada por essas emoções.

RAIVA DA FAMÍLIA

Pergunta:
Eu medito de três a quatro vezes por semana. Faço no mínimo vinte e no máximo trinta minutos devido às restrições de tempo decorrentes do trabalho, mas a minha experiência é: sempre que medito, fico com raiva da minha família. Você pode me ajudar com isso?

Resposta:
Isso diz respeito a sua atitude subconsciente em relação à família e não está relacionando à pratica da meditação em si. Você deve ter algum ressentimento pelo fato de o tempo de convivência imposto pela família limitar o seu tempo de meditação. Ou pode haver algum julgamento da parte da família em relação a sua prática de meditação que deixa você irritado e ressentido. Seja o que for, olhe as suas crenças e reações emocionais a esta dinâmica familiar e perceba que ficar com raiva não está ajudando a resolver a questão. Faça uma escolha consciente de não culpar ninguém pelo que você está sentindo e dê a eles a liberdade de ser quem são e pensar o que quiserem. Você poderá ser feliz e ficar em paz com eles quando estiver livre de seu ressentimento e irritação interiores.

ABANDONAR O ANTIGO EU

Pergunta:
Após descobrir uma consciência superior e apreciar momentos de total alegria que estão começando a parecer quase instintivos, como incorporo essa minha nova natureza à antiga? Sinto que preciso sacrificar o antigo para me livrar da negatividade.

Resposta:
Você não precisa se preocupar tanto em renunciar o passado, pois o Eu antigo cairá sozinho quando não for mais necessário, assim como a casca da semente é deixada de lado quando nasce o broto. Direcione o foco para onde você está indo e aquilo que há de importante no seu passado será naturalmente incorporado à vida atual. Você nem precisa se preocupar em reagir à ignorância e à tolerância ao seu redor. Se permitir que a sua atenção fique presa na intolerância da negatividade, você estará se envolvendo com essas energias negativas. É mais produtivo simplesmente deixá-las como estão e cuidar do que é edificante e alegre ao seu redor.

RAIVA APÓS A MEDITAÇÃO

Pergunta:
Sempre que entro em um nível mais profundo de meditação, no dia seguinte (quando não consigo meditar) tenho um ataque de raiva ativado por coisas sem importância, levando a uma grande frustração. Embora o motivo para isso seja entendido (expectativas, na maioria das vezes), esses momentos continuam acontecendo. O que está errado? É a ausência de amor? Eu meio que me dissolvo durante a meditação.

Resposta:
Talvez você não esteja reservando tempo suficiente para sair da meditação. Esse tipo de irritabilidade após a meditação geralmente ocorre quando não se reservam dois ou três minutos para fazer gradualmente a transição do estado sereno e sensível de percepção para o comportamento ativo e interpessoal da vida cotidiana. Se você sair da meditação rápido demais, essa hipersensibilidade da meditação fica com você e pode causar irritabilidade e raiva. Também pode ser que alguma questão profunda envolvendo a raiva esteja sendo gradualmente trabalhada em uma série de meditações e os efeitos residuais estejam atingindo a vida cotidiana. Seja qual for o caso, a solução está em reservar mais tempo para sair da meditação. Dê a si mesmo cinco minutos para emergir totalmente da meditação, mesmo se achar que não precisa. Caso note alguma raiva ou irritabilidade, dê a si mesmo mais tempo e fique com as sensações corporais que acompanham esses sentimentos até elas se acalmarem. Para aliviar ainda mais a situação, você pode acrescentar algumas asanas e pranayama antes e depois da meditação.

LIBERAR O MEDO INCONSCIENTE

Pergunta:
Se alguém estiver subconscientemente assustado e, portanto, atraindo pobreza ou doença para a vida, é possível substituir isso por paz, gratidão e abundância inconscientes? É possível controlar o subconsciente dessa forma?

Resposta:
Há várias formas pelas quais podemos influenciar o subconsciente (hipnose, técnica de liberação emocional, psi-

coterapia, a repetição pura e simples de uma ideia), mas dependendo da profundidade do padrão inconsciente, ele pode ter uma resistência surpreendente e voltar à forma anterior. Para complementar e auxiliar essas modalidades externas, recomendo uma prática de meditação silenciosa que permita à mente transcender os reinos consciente e inconsciente de modo a vivenciar o verdadeiro Eu, não condicionado por antigos padrões, medos ou traumas. À medida que essa experiência do Eu real fica mais familiar através da meditação, ela dissolve aquele medo inconsciente fornecendo a verdade que revela que todos os medos são infundados. Essa verdade é que o cerne da sua essência é idêntico à essência de toda a criação. Não há outra essência a temer, tudo é consubstancial com você no nível mais básico. Essa experiência parece muito grandiosa, mas é bastante real e extremamente prática. Leia a experiência da "Compreensão do Eu no Mar" do norueguês-iraniano, na qual ele relata como essa experiência o libertou do medo.

MEDO NA MEDITAÇÃO

Pergunta:
Venho meditando há três anos, inspirado pelos seus livros. Devo agradecê-lo, pois suas obras mudaram a minha vida para sempre!

Porém, senti algo inédito recentemente. Aconteceu apenas duas vezes, mas da última vez foi muito intenso. Eu estava meditando e tinha me concentrado na respiração. Ainda estava no começo da meditação. Então, de repente, meu coração começou a ficar acelerado, muito acelerado e comecei a suar. Senti um medo súbito, pois não sabia o que estava acontecendo e abri os olhos. Mas, antes de sentir o medo, acho que vi algo como a imagem vaga de um rosto. Eu não a provoquei porque, como já disse, estava me concentrando na respiração e tentando não pensar em nada. Não sei como explicar isso a mim mesmo, por isso procuro a sua opinião.

Resposta:
Parece que a sua meditação o colocou em contato com um trauma profundo que precisava ser libertado e curado. Como todo o antigo condicionamento dentro de nós também está armazenado no corpo físico, quando o liberamos, a nossa fisiologia também precisa passar por uma transformação ativa. Alguns casos de liberação intensa de estresse podem gerar a aceleração da frequência cardíaca e transpiração que você vivenciou. Se você tiver outra meditação em que surja um medo tão profundo assim, em vez de concentrar a atenção na emoção, desvie-a para o componente físico da liberação que está ocorrendo em algum lugar do seu corpo. Deixe a mente lidar com a sensação corporal até ela diminuir e depois retome a prática de meditação. Ao se concentrar no aspecto físico da liberação em vez do componente mental você não só evita que a psicologia fique presa no aspecto desagradável do processo emocional como fará a liberação ser mais completa e suave.

HABILIDADES PSÍQUICAS

Pergunta:
As pessoas iluminadas têm habilidades psíquicas? Fui criado para acreditar que qualquer coisa que seja psíquica é ruim e negativa. O que é psíquico e astral é demoníaco e não deve ser

investigado. Posso pular essa etapa e ir direto para a intuição do Eu superior?

Resposta:

O processo gradual de compreensão do Eu realmente ativa potencialidades latentes, mas quando essas habilidades se desenvolvem no contexto de despertar o todo da consciência, esses poderes aproximam você do Divino em vez de separá-lo dele.

Não há por que ter medo de obter o seu potencial humano completo. Não há nada ruim ou negativo que venha da iluminação e certamente nada de que você precise ser protegido. Na verdade, caracterizar essa ativação de consciência como poderes psíquicos e astrais é impreciso, pois essas capacidades não são algo de fora ou que esteja distante de Deus. Elas surgem espontaneamente quando você tiver afastado a ignorância, o medo e o Eu falso da sua consciência, se estabelecendo no Eu superior.

PREGUIÇA VERSUS ACEITAÇÃO

Pergunta:

Qual é a linha tênue que separa a preguiça e a aceitação das coisas como são? Considerar alguém preguiçoso é um julgamento, então, como determinar se uma pessoa é preguiçosa? Se eu aceitar as coisas como são, estou fazendo isso como resultado de aceitar e permanecer em paz com o universo ou porque sou preguiçoso? Alguém que está em paz pode ser visto como preguiçoso.

Resposta:

É uma pergunta interessante. É comum usarmos o ideal espiritual de aceitar as coisas como perfeitas do jeito que são como desculpa para a passividade e para não fazer nada. Às vezes, a inatividade é apenas um disfarce para o medo de agir. Por outro lado, correr atrás dos nossos sonhos o tempo todo com muito afinco é o caminho para a exaustão e a insatisfação.

Ao assumir a responsabilidade pelo nosso papel de criadores junto com o divino, precisamos estar alertas para saber o momento de agir e qual é a forma mais apropriada de fazê-lo. Devemos estar despertos e prontos para agir conforme necessário, mas ao mesmo tempo continuar orientados ao Eu em nossos atos. Isso significa que agimos conforme necessário para realizar os nossos desejos, mas permanecemos afastados do resultado. Não agimos porque falta algo ou por uma ideia de que algo precisa ser consertado e sim porque é nosso dharma, é o certo a fazer. Isso nos permite ficar alinhados com a vontade cósmica e não gastar energia demais no processo. Às vezes isso pode significar que em alguns momentos podemos parecer preguiçosos para quem está de fora e, em outros, totalmente envolvidos em nossas ações frenéticas. Não podemos nos preocupar com a forma pela qual os outros nos veem, pois só podemos ser responsáveis por nos manter conscientemente afinados com a orientação interior a fim de estarmos preparados para agir no momento certo e do jeito certo.

MEDITAÇÃO ANSIOSA

Pergunta:
Li o seu livro SynchroDestiny *e ele me inspirou a criar grandes mudanças para mim, para as pessoas que amo e para aqueles que estão ao meu redor. Fiquei muito estimulado*

pelo livro e pelas infinitas possibilidades a nosso dispor. Realmente adoro saber que a vida não precisa ser mundana e que milagres podem acontecer até com pessoas como eu.

Devo admitir que sempre evitei a meditação, tinha um pouco de medo (a mente tola sempre quer trabalhar). Tentei meditar hoje. Comecei a respirar muito rápido e quase não consegui respirar. Por que isso acontece? Estou realmente determinado a começar a meditar e quero superar esse coração que acelera como se eu estivesse fazendo uma atividade de tremendo esforço físico. Alguma sugestão?

Resposta:

Parabenizo você pela intenção de começar a meditar, apesar de tê-la considerado uma prática assustadora no passado. Contudo, como você tem alguns medos da meditação que estão sendo ativados ao começar a prática, acho que seria útil aprender o passo a passo de uma meditação estruturada com um instrutor qualificado em vez de fazer apenas a meditação de percepção da respiração apresentada no livro. Consulte o meu site www.chopra.com [em inglês] para ver se há algum professor de MSP na sua região.

Com um bom professor de meditação, você receberá a orientação pessoal de que precisa para superar essa ansiedade e começar bem a prática da meditação.

DORES DE CABEÇA E MAU HUMOR APÓS A MEDITAÇÃO

Pergunta:

Venho questionando a existência de Deus há muito tempo, até que ouvi os seus audiolivros Como conhecer Deus *e* As sete leis espirituais do sucesso. *Estou bastante convencido de que somos a nossa própria fonte de poder. Venho praticando o silêncio e o não julgamento. É incrível! Contudo, às vezes, após a prática silenciosa, eu me sinto muito mal, com dores de cabeça, tontura e, em algum momento nos últimos dois dias, até fiquei de péssimo humor. Não há motivo algum para isso. Durante a meditação, tudo corre bem. Minha vida está diferente, olho para as pessoas e sinto um amor e um carinho incríveis. Estou fazendo essa pergunta por não conseguir achar uma explicação para o mal-estar físico e esses episódios de mau humor. O que posso fazer? Muito obrigado pelo seu conselho!*

Resposta:

Essa reação de dores de cabeça e irritabilidade após a meditação costuma ocorrer quando se interrompe o estado silencioso de maneira brusca. O desconforto e o mau humor vêm do processo inacabado de liberação do estresse que continua acontecendo após a meditação. Mesmo que você não se sinta especialmente profundo ao final da prática, é importante não entrar em atividade imediatamente. Reserve pelo menos dois a três minutos a fim de fazer a transição gradual para suas atividades antes de abrir os olhos e se levantar. Caso você sinta que está liberando muitos condicionamentos antigos, reserve ainda mais tempo para sair da meditação. Você pode, inclusive, deitar e descansar por cinco minutos, caso sinta vontade. Esse período de transição dissipará o estresse residual e você se sentirá renovado e relaxado quando levantar.

INDELICADEZA APÓS A MEDITAÇÃO

Pergunta:
Espero que você possa me dar uma luz para eu entender o que pode estar acontecendo com o meu parceiro após a meditação. Ele vem praticando a Meditação do Som Primordial há anos e me diz que faz isso duas vezes ao dia porque o ajuda a se sentir mais em paz, centrado, amoroso etc. Mas após essa meditação eu o vejo mais agitado, irritável e muito crítico, sempre julgando. Em algumas raras ocasiões eu observo que a natureza de coração aberto dele volta após a meditação, mas é provável que ele fique mais leve trabalhando, fazendo faxina, sentindo-se útil e prestativo (mesmo se não estiver realmente sendo útil e prestativo). Eu o amo muito, mas agora o evito após a meditação.

Venho praticando vários tipos de meditação há muito tempo e comecei a do Som Primordial este ano. Meu parceiro quer que eu medite com ele, mas quando faço isso me sinto tão tensa que não consigo relaxar. Sempre que surge o assunto da meditação, fico completamente desconfortável. Quando termino a meditação e ele me pergunta como foi, não tenho problema em compartilhar, mas me sinto pressionada. Depois de falar, pergunto quais foram as suas descobertas ou experiências e ele geralmente diz que só quer ficar quieto. Meu parceiro criticou todas as outras formas de meditação que faço, taxando-as como meditação "da mente ocupada"

Você tem alguma ideia do que possa estar ocorrendo? Algo pode ser feito para quebrar um pouco dessa tensão e pressão que estou vivenciando?

Resposta:
A irritabilidade e a agitação que você descreve no comportamento do seu parceiro geralmente acontecem quando

não se reserva tempo suficiente para fazer a transição e sair da meditação de modo gradual. Ele pode estar no meio da liberação de algum condicionamento profundo que não foi completamente resolvido no fim do período de meditação, fazendo com que a liberação do estresse continue após a prática e isso geralmente se expressa como irritabilidade e indelicadeza.

É importante reservar um bom tempo para que esse processo se estabilize e não seja levado para as atividades diárias. Mesmo que a meditação não pareça ter sido muito profunda, é importante reservar dois a três minutos para sair lentamente dela. Em casos como o do seu parceiro, pode levar mais tempo. Se ele gostar e o tempo permitir, pode até se deitar por cinco minutos após a meditação. Isso costuma bastar para aliviar a situação.

TRANQUILIDADE E INTRANQUILIDADE

Pergunta:
A pergunta básica que tenho é sobre pegar o caminho fácil em contraposição a pegar o caminho fácil com uma nuance diferente. Dizem que devemos estar presentes e confrontar o que aparecer, em vez de evitar qualquer situação. Acho difícil associar isso à ideia de viver com tranquilidade. É uma prática espiritual benéfica perceber a tranquilidade que sinto no momento presente em vez de, digamos, tentar deliberadamente estar presente com alguma noção de medo/ raiva/negatividade? Sei que se eu parar e me concentrar nas sensações do corpo, particularmente na respiração ou nas batidas do coração, posso descobrir e buscar a intranquilidade, talvez até convidá-la. Por outro lado, posso

parar, encontrar a tranquilidade e ficar com ela. Ao fazer isso, também percebo uma intranquilidade residual. Estou fazendo algo errado?

Resposta:

Não acho que você esteja fazendo algo errado, mas escolher uma técnica no lugar da outra não é tão simples quanto você pode imaginar. As duas práticas podem ser espiritualmente benéficas. A nossa atenção fortalece e amplia aquilo em que concentramos a atenção. Então, como você já notou, se você localizar uma sensação de tranquilidade interior, pode facilmente permitir que isso cresça na sua percepção dominante. Por outro lado, se você encontrar uma sensação de desconforto interior, isso também pode aumentar e virar uma experiência poderosa. Considerando essa mecânica da consciência, a pergunta passa a ser: o que você está tentando conquistar nesse momento? Ambas as práticas podem ser consistentes e até complementares com o seu objetivo de viver uma sensação honesta de tranquilidade.

Quando sentimos alguma intranquilidade, a implicação é que somos apresentados a esse estado de desequilíbrio como forma de lidar com ele para que possamos voltar a um estado mais estável e equilibrado de tranquilidade. Se escolhermos seguir uma sensação de tranquilidade que existe dentro de nós, então, à medida que ela for naturalmente amplificada, ajudará a fortalecer e dar firmeza à nossa ideia de tranquilidade e equilíbrio. Se nós abordamos essa sensação inocentemente, esse processo também trará à tona quaisquer bloqueios ou desconfortos que estejam no caminho da tranquilidade mais profunda. Dessa maneira, esse procedimento de tranquilidade também pode nos levar a prestar atenção aos sentimentos de intranquilidade que, uma vez liberados, ajudam a promover uma experiência mais profunda de silêncio e tranquilidade. E, como você notou, é possível perceber os dois sentimentos ao mesmo tempo. Nesse caso, é melhor direcionar suavemente a atenção para o sentimento predominante. Acredito que mesmo sendo possível fazer com que os processos trabalhem em prol do seu objetivo de tranquilidade, isso também pode ser desnecessariamente complicado. Em vez de tentar monitorar e determinar qual prática assumir em qual ponto, você pode achar muito mais simples apenas seguir uma boa técnica de meditação. Todos esses processos sutis são automaticamente decompostos no procedimento geral, deixando tudo muito mais fácil. Quando a prática da meditação incorpora a inteligência do computador cósmico, o processo mais apropriado para o crescimento é o que ocorre naquele momento, sem que tentemos descobri-lo a partir da nossa compreensão limitada.

Sonhos e percepção sensorial

CORRESPONDENTES FISIOLÓGICOS AO CRESCIMENTO ESPIRITUAL

Pergunta:
Quais são as adaptações físicas que o corpo costuma fazer durante a jornada com a alma através da transformação espiritual? Se minhas lembranças estão corretas, você disse em algum texto que o corpo precisa fazer enormes mudanças a fim de passar pelas etapas. Você poderia dizer especificamente como isso acontece na pessoa?

Resposta:
É quase impossível delinear com precisão por quais alterações fisiológicas o corpo passa durante a transformação espiritual em estados superiores de consciência. A tendência é que o corpo cresça em força, equilíbrio, flexibilidade e vitalidade junto com a base física para apoiar os estados superiores de consciência. Pode-se falar de modo geral sobre maior coerência no funcionamento das ondas cerebrais, bem como mudanças nos hormônios e neurotransmissores, mas ainda estamos muito longe de ter marcadores fisiológicos precisos capazes de identificar estágios discretos de iluminação. No fim das contas, tal visão pode nem mesmo ser possível.

O corpo realmente exige determinado grau de purificação e refinamento para sustentar a clareza da percepção do Eu, mas a diferença entre esse estilo de funcionamento da fisiologia e o anterior pode ser sutil demais para ser medido de modo objetivo. Pode ser como tentar determinar a estação que está tocando em um rádio medindo todos os componentes elétricos e circuitos do aparelho.

Outro fator que faz com que a correspondência simples entre estados de consciência e a experiência do corpo seja problemática é o carma físico singular associado à jornada espiritual de cada um. A imagem ideal de saúde diz que devemos ficar cada vez melhores, a cada dia e de todas as formas à medida que evoluímos, mas essa imagem obscurece o papel crucial que uma doença crônica ou uma luta contra o câncer pode ter no sentido de transformar a consciência. Embora o corpo espelhe a jornada espiritual do indivíduo, a verdade é um quadro complexo que nem sempre segue um padrão simplista passível de observação e mensuração.

MEMÓRIA

Pergunta:
Notei um considerável declínio na minha memória de longo prazo nos últimos dois anos, que aumentou depois que engravidei e tive um filho. Fiz grandes mudanças na vida, comecei a viver mais no presente, além de apreciar e tirar o máximo de cada dia. Com o passar do tempo, notei que minha memória do passado estava desaparecendo e, mesmo quando conseguia lembrar, eu escolhia não perder tempo com isso, independente de ser uma lembrança boa ou má. Afinal, aquilo já tinha acontecido e precisei passar

por aquele processo até chegar aqui. Isso é normal para as pessoas que estão tentando ficar mais evoluídas ou é outra coisa?

Resposta:

Muitas pessoas notam alterações na memória quando vivem uma vida mais consciente e presente. À medida que a percepção se liberta mais do antigo condicionamento, os padrões de memória associados a esse condicionamento também mudam: ficam mais fracos e nos identificamos menos com eles, como você vivenciou. Para algumas pessoas isso pode ser desconcertante ou causar desorientação, pois temem perder a memória. Em geral, elas descobrem que não carregam mais por aí todas as informações e lembranças na mente para acessá-las a qualquer momento, como costumavam fazer, mas quando precisam saber ou se lembrar de algo, aquilo está lá. É mais na linha de viver a vida espontaneamente e no momento em vez de deixá-la ser ditada pelo passado.

DESAPEGO

Pergunta:

Você poderia explicar melhor o desapego? O que ele significa e como fazê-lo? Como é possível ter uma imagem clara na mente do que você quer, colocar a atenção nela, e ainda assim se desapegar do resultado?

Resposta:

O desapego é o estado da consciência que se percebe. Não é algo que você faça ou pratique, além de ser apenas o seu Eu simples. O desapego é o caráter daquela percepção pura de não se identificar com nada, como o seu trabalho ou a sua personalidade. Ele se conhece como ilimitado, não local e livre e, portanto, não está ligado a qualquer forma ou expressão em particular.

Quando uma pessoa incorpora a lei do desapego a fim de alcançar uma intenção, ela está simplesmente se libertando do desejo e permitindo que a consciência retorne ao seu nível de referência sereno de percepção, a partir do qual o universo é livre para orquestrar a realização daquele desejo. O desapego é uma forma de tirar o ego do caminho para que a resposta mais adequada da Natureza esteja livre das nossas limitações pessoais.

LIMITES DO CONHECIMENTO

Pergunta:

Gostaria de saber quanto conhecimento está disponível para quem está vivendo a resposta sagrada na consciência da unidade. Você já mencionou que tudo pode ser conhecido a partir desse nível de verdade interior. É possível saber, por exemplo, exatamente quantos pássaros estão voando na Terra em um dado momento, o que aconteceu a Jimmy Hoffa ou a sequência genética completa de um ser humano?

Resposta:

Teoricamente, todas essas informações estão disponíveis para qualquer pessoa vivendo na consciência da unidade. Em termos práticos, contudo, o conhecimento é revelado com base no que a pessoa precisa saber. Todos têm um dharma específico e singular na vida, mesmo no estado de iluminação, e qualquer conhecimento obtido diretamente do reino quântico sempre será no contexto do trabalho evolutivo do nosso dharma e do que é útil para o mundo naquele momento. Então, se por algum motivo for apropriado que uma pessoa iluminada saiba a quantidade de pássaros voando em um dado momento, essa informação estará acessível para ela. O objetivo do conhecimento é a ação e a realização. Se o interesse em obter a informação for mera curiosidade, é improvável que seja revelada, pois não haveria um objetivo mais profundo nisso.

SONHOS

Pergunta:
Como devo avaliar meus sonhos? Quase nunca me lembro dos meus sonhos, mas quando isso acontece eles contêm mensagens vívidas e, geralmente, parecem fornecer respostas a uma prece ou pedido similar. Posso confiar nos meus sonhos?

Resposta:
Os sonhos têm um objetivo importante no ciclo da consciência entre o repouso e a atividade. Na maior parte das vezes, os sonhos são subprodutos mentais da integração e liberação de experiências ocorridas durante o dia ou de outras impressões mais profundas do passado. Como tal, a importância deles seria como a de uma história reunida a partir do que foi assistido em trocas aleatórias entre diferentes canais de TV.

Há raras ocasiões em que os sonhos podem revelar uma mensagem de uma área de si para o Eu consciente. Para algumas pessoas, como é o seu caso, isso pode ser um canal produtivo de crescimento, mas como em todas as áreas do desenvolvimento espiritual, aborde a interpretação dos sonhos com cuidado e bom senso. Os sonhos com mensagens importantes podem estar misturados com as bobagens irrelevantes do processo de liberação de estresse. Você também precisa perceber de qual parte da psique vem essa mensagem. As informações podem ter valor muito limitado. Além disso, não deixe que o desejo de extrair o máximo de sabedoria dos sonhos leve você a encontrar mensagens onde não existem. Isso deixa a pessoa muito sugestionável, além de ser pouco prático. Não pense em todos os sonhos como quebra-cabeças a serem intelectualmente resolvidos. Se você sentir que há alguma mensagem em um sonho, deixe a sua noção profunda de sentimento guiá-lo.

ACORDAR DO SONHO

Pergunta:
A maioria dos ensinamentos e professores espirituais ensina que esta ideia de "eu", esta história da "minha vida" é apenas uma ilusão e que nossa função não é tentar consertar a história ou melhorá-la, e sim acordar dela. Se nós estamos dormindo e temos um pesadelo, tudo parece muito real, mas quando acordamos e percebemos que era um pesadelo, o conteúdo do sonho não parece ter tanta importância, exceto do ponto de vista analítico. Se o nosso estado desperto também é um sonho, talvez um tipo diferente do que temos durante o sono, todo esse pensamento, planejamento e análise é uma grande perda de tempo. Tudo o que realmente precisamos fazer é acordar, então o que nos acordará?

Observei que todo esse planejamento, análise e esperança pouco ou nada fez para me acordar, apenas me deixou revi-

rando na cama. Nós percebemos que estamos presos em um sonho? O que nos revela isso? Esse sonho parece muito real, assim como os que temos quando dormimos.

Resposta:

Outro termo para acordar é compreensão do Eu. Quando o Eu superior tiver o conhecimento de seu verdadeiro status independente de mudar, acordar, sonhar ou dos estados de consciência durante o sono, estará acordado para a sua verdadeira natureza e não será mais confundido com os objetos da percepção. Analisar, filosofar e dialogar consigo mesmo são expressões limitadas da consciência desperta e nada têm a ver com a compreensão do Eu. O Eu precisa se conhecer por si, sem ser mediado por quaisquer conceitos ou crenças. É para isso que serve a meditação.

É verdade que a compreensão do Eu mostra a universalidade da nossa individualidade e, portanto, a ilusão de uma identidade limitada pelo ego. Contudo, isso não significa que não temos mais individualidade. Afinal, como podemos falar em ganhar conhecimento e experiência se não houver quem conheça e quem adquira a experiência?

EXPERIÊNCIAS DE PICO

Pergunta:
Desde os tempos de menina, eu tenho sonhos que depois viraram realidade. Em O caminho para o amor *você diz que "experiências de pico realmente trazem uma clareza súbita. As paredes dos antigos condicionamentos, hábitos e expectativas caem nesses momentos [...] à medida que você ganhar mais confiança, vai descobrir que a vida é cheia de*

significado e cada momento tem um aspecto que vai além se você tiver a visão para encontrá-lo". Mas o que você quer dizer com "experiências de pico"? Os sonhos podem transmitir uma mensagem?

Resposta:

Às vezes os sonhos transmitem mensagens. É possível que você tenha tido uma experiência de pico ao sonhar caso tenha sido um sonho totalmente lúcido. Maslow desenvolveu o termo experiência de pico para descrever esses momentos, que duram de segundos a minutos, durante os quais sentimos os níveis mais altos de felicidade, harmonia e possibilidade. Cientistas geralmente relatam que seus progressos ocorrem em momentos totalmente fora das deliberações concentradas sobre o problema, nas chamadas experiências "eureca". A experiência de pico de um atleta geralmente é descrita como estar "no clima", quando cada movimento é perfeito e a pessoa entra em uma espécie de espaço-tempo sagrado em que o tempo linear parece mais lento e as dimensões espaciais normais parecem esticadas. Para artistas, pode acontecer quando a pessoa captura totalmente uma visão interior em sua arte.

A experiência de pico pode ocorrer pela intensificação de um prazer cotidiano e até ser transportada a uma experiência extraordinária de estados superiores de consciência. Cada vez mais pessoas estão reconhecendo que experiências de pico não são aberrações da consciência humana normal, sendo, na verdade, vislumbres de como uma vida humana integrada e verdadeiramente saudável deve ser vivida o tempo todo. Durante as experiências de pico, estamos completamente vivos, conscientes e no momento presente. Elas oferecem uma janela para o cerne da realidade e, como tal, tendem a constituir alguns dos eventos mais memoráveis e transformadores da vida. Qualquer abertura que vivenciemos para a vasta inteligência cósmica dentro de nós pode ser considerada uma experiência de pico. Quando vivemos em harmonia com esse campo de todas as possibilidades o tempo todo, estamos usando o nosso potencial completo como seres humanos saudáveis e amorosos.

SINESTESIA

Pergunta:
Você pode falar sobre a sinestesia? É um fenômeno fascinante que às vezes acontece comigo. Sendo músico, às vezes vivencio uma cor, uma temperatura, uma cena ou "combinação de letras" conectadas a notas individuais quando toco a minha música. Creio que essa experiência deve ser usada para curar/ensinar de alguma forma. Estou extremamente interessado em explorar esse assunto, pois ele pode me levar a um novo rumo profissional.

Resposta:
Quando os sentidos de um indivíduo estão suficientemente refinados, ele pode perceber o caráter sutil das experiências cotidianas no reino quântico. Neste nível mais delicado da natureza, a frequência do objeto da experiência é tanto o seu nome quanto a sua forma ou estrutura. Então, é possível "ver" o som de uma bela peça musical ou sentir o cheiro e o gosto de uma memória visual da infância. É possível "ouvir" o gosto de um pedaço de torta de limão. Essa gama completa de experiências sensoriais está sempre disponível em todas as experiências que temos. É apenas uma questão do

quanto a nossa percepção está refinada para vivenciá-la. As pessoas costumam ter um sentido mais forte que os demais, então, quem é visualmente dominante, em geral, começa a ver imagens visuais sutis em suas experiências antes de vivenciá-las sutilmente através dos outros sentidos. Já uma pessoa cuja audição é o sentido dominante pode inicialmente ouvir sons sutis, música ou uma voz que transmite uma verdade mais profunda sobre o que está vivenciando. À medida que o refinamento da experiência sensorial fica mais profundo, é possível vivenciar múltiplas experiências sensoriais ao mesmo tempo. Em algum momento, se a pessoa quiser, poderá vivenciar todos os cinco sentidos com qualquer objeto da experiência.

Há um componente natural, curativo e educacional nessa experiência, pois ao direcionar a atenção para essas sensações suaves, a percepção está se movendo para dentro, rumo a um campo de maior simplicidade, amor, pureza, verdade, força e júbilo. Se você sente que obter mais facilidade nesse reino faz parte de como você pode servir os outros da melhor forma possível, então, por favor, explore isso e fique aberto para quaisquer orientações que o levem adiante.

VER SEM OS OLHOS

Pergunta:
Muitas vezes quando estou pensando e falando ao mesmo tempo, observo que pareço não estar fisicamente dentro do meu corpo, que estou vendo através dos meus olhos, mas não sinto como se estivesse vendo fisicamente. Parece que o meu corpo é só uma concha e que os olhos com os quais estou vendo talvez sejam os olhos da alma. Espiritualmente eu sinto que

estou em outro lugar, embora esteja consciente e agindo de modo totalmente normal. Porém, sei que nesses momentos não estou vendo o que está ao meu redor com os meus olhos.

É muito difícil de explicar, mas acontece com tanta frequência que estou curioso para saber se isso tem algum significado. Às vezes, parece que me separei do corpo físico. Isso é apenas um truque do cérebro ou algo mais?

Resposta:

O que você descreve pode ser a fase inicial do Eu superior testemunhando o seu corpo e o ambiente ao redor. A pergunta importante é: quem está "vendo" parece mais real e verdadeiro do que a versão comum do eu que vê através dos seus olhos? Se for o caso, esta é a presença do Eu superior acordando para o seu mundo relativo. Isso se chama testemunhar porque é um tipo de percepção vista, mas você está certo ao dizer que não é uma visão dependente dos canais de percepção. É uma experiência animadora que progredirá no ritmo necessário. Você não poderá estimulá-la através da força de vontade ou da concentração. Apenas continue a meditar e a fazer suas atividades normais que ela vai se desenvolver exatamente como for necessário.

A SOMBRA DO EU

Pergunta:

Após ler o ponto de vista junguiano, parece que a sombra é a parte inconsciente do Eu que foi renegada ou reprimida devido ao condicionamento. Qual é o seu conceito sobre a sombra? Na sua integração mente/corpo, você não parece discutir a sombra e como lidar com ela. Por quê? Você falou da alma (jiva), do ego, da mente, do corpo e, claro, de Atman Onde a sombra se encaixa?

Há algum termo védico para sombra? É Rakshasha? Como a meditação ajuda a integrar a sombra? Para ser um com o Eu, não é importante integrar a sombra ao ego?

Resposta:

Não sei se o conceito psicológico de sombra tem uma contraparte exata na compreensão védica, mas penso que há uma compreensão geral da sombra do Eu. Vasanas são os condicionamentos acumulados da mente que residem em seus níveis mais profundos. A sombra do Eu seria representada por esses vasanas reprimidos e renegados da mente consciente. A meditação traz a atenção consciente para essas áreas subconscientes e permite que esse condicionamento seja dissolvido e que a energia seja integrada ao Eu maior. Esse processo, junto com a aceitação, o perdão a si mesmo e as descobertas que o acompanham, constitui a integração da sombra do Eu ao Eu superior.

Na astrologia védica, há dois planetas não físicos chamados Rahu e Ketu, conhecidos como planetas sombrios, e descrevem exatamente esses aspectos subconscientes da personalidade (a sombra do eu) que devem ser integrados à consciência a fim de obter uma vida equilibrada e saudável. Você pode usar o termo *rakshasa* para a sombra do Eu, pois Rahu e Ketu também são considerados Asuras por natureza. E na era Kali Yuga em que vivemos, diz-se que os Asuras não têm uma existência separada, mas entraram em nossa mente e intelecto.

Consciência da unidade

CONSCIÊNCIA COLETIVA

Pergunta:
O que exatamente é a "consciência coletiva"? Como ela nos afeta? Existe a consciência coletiva de um país?

Resposta:
A consciência coletiva é um termo para ajudar a definir a combinação de influência e inteligência de um grupo. Existe a consciência coletiva de uma família, nação, religião e também uma consciência coletiva do mundo. A mente coletiva de um grupo atua como repositório do conhecimento e dos atos de seus integrantes. O indivíduo contribui para a consciência do grupo com seus atos e é influenciado e guiado pelas várias consciências coletivas do qual faz parte à medida que se identifique com esses grupos. O trabalho de Rupert Sheldrake sobre campos morfogênicos se conecta à consciência coletiva, então talvez você se interesse em ler algumas obras dele.

VIVER A RESPOSTA SAGRADA

Pergunta:
Você, às vezes, faz questão de dizer a "realidade viva da consciência da unidade". Há outras formas de vivenciar a resposta sagrada?

Resposta:
Às vezes, as pessoas acreditam que a única forma pela qual serão capazes de vivenciar a união completa com toda a vida será depois de conquistarem a compreensão do Eu e terem morrido ou deixado o corpo físico. O sistema nervoso humano tem a capacidade de vivenciar a gama total da existência. Ao enfatizar que essa consciência da unidade é uma realidade viva, eu gostaria de combater a ideia de que precisamos morrer para obter a iluminação completa.

Outro mal-entendido a ser esclarecido é que a resposta sagrada é algum tipo de estado da unidade conquistado e mantido intelectualmente. Dizer que a unidade é uma realidade viva tem objetivo de transmitir que esse estado de unidade não é apenas um ideal em que a pessoa está teimosamente insistindo e sim uma experiência orgânica, sensorial, viva e que respira de união jubilosa com a realidade, 24 horas por dia. A consciência da unidade é o estado normal e natural da vida humana, com todas as limitações removidas. Como tal, ela não foi feita para ser um estado frágil e delicado, distante da vida diária e da sociedade, como uma flor de estufa. Muitos modelos de iluminação que temos vêm de sábios isolados que se retiraram da sociedade e vivem a iluminação em um canto silencioso e sem responsabilidades. Isso pode dar a entender de modo sutil que quando estivermos iluminados, também deixaremos a família, os amigos e o mundo para trás e falaremos apenas de Atman e Brâman.

Não é assim que funcionará para a maioria das pessoas. A consciência da unidade é uma realidade viva porque é o começo de uma vida humana vibrante e plena, não o fim dela. É importante entender isso de modo a não nos subestimar, supondo que a iluminação deverá vir após a morte, ou sermos apenas uma concha sagrada da nossa existência anterior.

ALÉM DA CONSCIÊNCIA DA UNIDADE

Pergunta:
Ainda há evolução após a consciência da unidade, a resposta sagrada? Por um lado, parece que após compreender a sua identidade com tudo, não há mais para onde ir, mas por outro lado, parece que desde que você esteja vivo e faça parte da criação e da mudança, deve haver crescimento.

Resposta:
Você está certo, a evolução da consciência realmente continua para quem está na consciência da unidade. Ela ocorre em escala ou ordem muito diferente dos estágios anteriores da consciência. No Rig Veda, o Rishi Bhrigu conheceu o princípio fundamental da evolução na palavra *Nivarthadvam*, que significa deixar o seu estado atual e ir para outro, retirando-se de um lugar para outro. Ele explicou através de alegorias que, para a pessoa na consciência da unidade, o foco principal de atenção ou percepção em que a pessoa vivencia a unidade é desviado para o campo de fundo da atenção. Esse movimento da consciência da

unidade para um nível mais universal, às vezes, é chamado de consciência Brâman. Estar na consciência da unidade é mais ou menos como olhar para uma cadeira em uma sala. Você vê a cadeira e vivencia a completa identidade com ela no nível da consciência, mas o resto do quarto está no fundo da sua atenção. Na consciência de Brâman, não só a cadeira é percebida em termos do Eu, como o quarto inteiro. O processo de deixar um nível de concentração para um campo maior de concentração é o tema do crescimento além da unidade. Pense em círculos concêntricos se expandindo cada vez mais para englobar o mundo, a galáxia, o universo e toda a criação. Desnecessário dizer que esse estado de consciência é verdadeiramente cósmico e nos leva para longe do nosso presente, mas, de vez em quando, é útil ser lembrado da profundidade real do potencial humano que é nosso direito de nascença e destino.

REALIDADE INDEPENDENTE

Pergunta:
Costumo notar a minha experiência interna sendo projetada no mundo externo ou um pequeno filete de pensamento que acaba surgindo e estando em uma situação que acontece. Geralmente eu também percebo que, nas minhas interações, a pessoa reage e fala comigo de determinado jeito dependendo do meu estado mental e do que eu projeto. Embora isso seja bom, geralmente penso que a conversa com a pessoa acontece mesmo internamente. É como se eu estivesse apenas me projetando nelas e me sinto muito ignorante e egoísta por querer uma palavra melhor para descrever isso. Sinto o que é verdadeiramente real como se eu estivesse criando tudo

aquilo. Você poderia me explicar como a realidade trabalha com a mente, afetando tudo, e também como isso se encaixa com o fato de haver outras pessoas no mundo? Há uma realidade independente acontecendo para elas e elas têm a própria percepção do mundo ao nosso redor? Às vezes, também me pergunto se quando estou falando com as pessoas elas acreditam saber do que estou falando e vice-versa, ou se elas estão apenas traduzindo o que digo em termos da percepção delas, fazendo com que tudo se encaixe, e também estou traduzindo o que eles dizem. Até que ponto a realidade é criada por mim? Como você supera as bobagens e fala com as pessoas verdadeiras? Quando olho as pessoas desta cidade, eu capto as coisas, independente da fachada que elas tenham: todas são muito reservadas, solitárias e assustadas, como criancinhas. Tenho uma ânsia muito grande de ser capaz de espalhar a felicidade e melhorar a vida das pessoas. Em uma cidade grande e com tantas pessoas, não deveria haver tanta solidão e desconfiança.

Resposta:

O nível no qual partilhamos a mesma realidade com tudo e todos é o nível da percepção pura. O nível no qual lidamos com a realidade diária das pessoas, carros, telefonemas, horários de voos etc. é o reino físico. A realidade física definitivamente continua sendo uma realidade. Pode não ser absoluta, permanente e universal, mas certamente é real o bastante em seus termos. Essa realidade física em constante mudança não é incompatível com a realidade interna da unidade espiritual. A partir da perspectiva da consciência da unidade, o conteúdo essencial do Ser puro é o que domina a percepção, mas a pessoa ainda tem um conhecimento secundário das diferenças e fronteiras do mundo sensorial.

Do ponto de vista da consciência desperta, a verdade é que o cerne da nossa essência é a base de toda a criação e, além disso, o que percebemos é um reflexo do nosso Eu interior. Contudo, o caráter pessoal da individualidade não é a fonte de tudo, a fonte real é o princípio universal inerente e interno. Então, definitivamente existem outras almas, e todas podem compreender essa identificação com a fonte e o reflexo delas em todo o cosmos. Assim como em uma grande quantidade de diamantes, cada um deles é singular e reflete o todo ao redor, embora cada um possa conhecer a própria essência como idêntica a todas as outras.

CORPO UNIVERSAL

Pergunta:
Como seria a aparência do corpo universal? Imagino que não se pareça realmente com nada, mas pensei que seria divertido imaginar a cura do corpo universal. Queria fazer uma meditação de cura universal e, para isso, preciso de uma imagem a partir da qual começar. Estou pensando em como tudo está conectado (e já curado e perfeito), mas não é visto por nós dessa maneira. Assim como as pessoas precisam se unir na realidade material e ver a conexão entre elas, precisamos compreender e vivenciar a nossa conexão em outros níveis. Qual seria a aparência dessa união?

Resposta:
É um sentimento lindo, mas você está certo: o corpo universal realmente não se parece com nada, pois está além de todas as formas. Os Vedas têm um verso especial chamado Purusha sukta que descreve o conceito geral do corpo

universal, que se chama Purusha. Trata-se de um hino que todos os hindus devem recitar diariamente. É muito difícil de traduzir, mas as primeiras linhas descrevem Purusha desta forma:

Purusha tem mil cabeças, mil olhos, mil pés. Atacando o universo em todas as direções, Purusha o excede em dez dedos. Purusha sozinho é tudo deste universo, o que foi e o que será. Purusha é o senhor da imortalidade e também é alimento. Todos os seres são uma parte de Purusha, as outras três partes são imortais e sobrevivem no reino superior.

O simbolismo da linguagem indica que o corpo universal tudo sabe, tudo vê e é onipresente. Os dez dedos significam que Purusha está além do alcance do reino do nome e da forma. Alimento significa que ele nutre e ajuda todas as manifestações. O universo físico, com seu passado e futuro, é apenas uma parte do corpo universal. As outras três partes são transcendentes, Sat, Chit e Ananda: existência, consciência e júbilo.

Esse hino não ajuda muito em termos de imagem mental do corpo cósmico, mas transmite a sua ausência de limites e natureza transcendental, e essa é a imagem mais precisa que conheço.

VALORES DO GRUPO

Pergunta:
No livro Como conhecer Deus, *você afirma que nos estágios iniciais do crescimento interior, uma pessoa é estimada quando pertence ao grupo e preserva seus valores. Se o conhecedor interno tenta discordar, será reprimido. A intuição acaba virando uma inimiga por ter o hábito indesejado de dizer o*

que você não deveria ouvir. Você está dizendo que o ego está perdendo a força e o diálogo interno está sendo purificado, digamos assim? A intuição nessa etapa está sendo preparada para o estágio de conhecimento? É por isso que você não consegue realmente diferenciar se a origem de um pensamento vem do ego ou do Eu superior?

Resposta:

As pessoas são estimadas por preservarem os valores do grupo. Os valores do grupo têm por objetivo reforçar as regras da ordem e da conformidade dentro do grupo. Quando um indivíduo aprende a mergulhar internamente e se define em termos da própria essência em vez dos valores externos do grupo, ele transcende as regras daquele grupo. Esse é o início da percepção orientada para o Eu, que realmente traz uma noção de independência nem sempre apreciada pelos que representam os valores do grupo. Pode-se pensar nisso como uma espécie de purificação do diálogo interno em relação à identificação externa que leva o ego a perder o apego às regras e expectativas da sociedade. A intuição acaba resolvendo a diferença entre a orientação que vem da verdade no seu coração e os valores do grupo que ainda fazem parte do seu antigo condicionamento.

INFLUÊNCIA COLETIVA

Pergunta:
Entendo que o progresso espiritual, bem como os pensamentos, as palavras e ações de cada indivíduo afetam a pessoa e também a comunidade, o país, o mundo e todo o universo. O que é melhor fazer para não sofrer os efeitos colaterais

dos pensamentos, das ações e consciências de outros indivíduos em nossa comunidade, país etc.? Basta mergulhar internamente e entrar em contato com o Divino através da meditação?

Resposta:

É normal ser afetado pela consciência coletiva maior da qual participamos. Para evitar sofrer os efeitos colaterais da percepção do grupo, é importante ser forte e estar bem conectado ao seu ponto de referência interior. Para isso, a meditação é de vital importância, pois nos dá a experiência direta da consciência não local e não qualificada, independente de qualquer consciência coletiva. Ter um ponto de referência concreto interior permite saber quem somos nós e quais são as nossas fronteiras mentais e emocionais em termos individuais, de modo a não ficarmos confusos e acabarmos fazendo uso inadequado de influências externas que não são nossas. É o que acontece quando não nos adaptamos às influências ou à consciência coletiva. Também em nível mental, é possível fortalecer nossas fronteiras cognitivas contra a influência do pensamento e da propaganda de massa, desenvolvendo o pensamento crítico. Emocionalmente, ficamos menos suscetíveis aos sentimentos do grupo quando aprendemos a nos acalmar. Se procurarmos conforto, estabilidade e aceitação dentro de nós em vez de tentarmos preencher essas necessidades olhando para os outros, seremos capazes de sentir e reagir adequadamente às demandas emocionais sem nos sentirmos sobrecarregados e impotentes.

TRABALHAR JUNTOS PARA AUMENTAR A CONSCIÊNCIA MUNDIAL

Pergunta:
Quando vejo a confusão em que o mundo se encontra e depois de procurar as luzes espirituais, como você, o Dalai Lama, Ammachi, Maharishi e outros que fazem a diferença para mudar tudo isso, eu me pergunto por que vocês não unem forças e trabalham juntos para criar uma influência mais poderosa de positividade. Parece uma vergonha que a grande obra em prol da paz e da iluminação fique enfraquecida por ser muito fragmentada e individualista. Um ensinamento e um programa unificado não seriam a maneira mais eficaz de aumentar a consciência coletiva do mundo? Você não poderia encabeçar algo que uniria todas essas forças do bem no mundo em uma forte onda que pudesse alcançar a todos?

Resposta:
É uma bela visão, um belo sentimento e é exatamente o que já está acontecendo em um nível inédito de organização da natureza. A transformação da consciência mundial é um projeto colossal e está sendo orquestrado de modo muito mais abrangente do que eu ou qualquer indivíduo ou organização poderia dar conta. Todas essas pessoas que você mencionou têm vários papéis a cumprir na evolução da consciência mundial e estão simplesmente fazendo o trabalho que deveriam fazer de acordo com suas capacidades. Pode não parecer que os diversos ensinamentos estão coordenados entre si, mas no nível que importa, isso sem dúvida acontece.

Quando uma casa está sendo construída, o que os encanadores estão fazendo não parece estar relacionado ao que os eletricistas, paisagistas ou engenheiros estão fazendo. Todas as tarefas precisam ser terminadas pelos seus respectivos especialistas. A casa não será terminada se o eletricista organizar todos ao redor de suas habilidades ou da visão que ele tem da casa. O arquiteto tem a visão completa e o empreiteiro distribui as funções às empresas terceirizadas e dá as plantas de que elas precisam para trabalhar. Não é necessário que mais de uma empresa faça o mesmo trabalho, nem que todos tenham a planta completa da casa. Eles só precisam saber o bastante para fazer a sua parte com eficiência. O plano para a transformação da Terra está sendo lindamente organizado pelo Divino e está se desenrolando exatamente como precisa ser.

A outra parte da sua pergunta sobre a qual eu queria falar é a suposição de que a mudança na consciência coletiva depende de personalidades proeminentes que a façam ou não. Alguns indivíduos podem ter mais visibilidade do que outros, mas a verdadeira evolução da consciência coletiva não é feita através dessas pessoas. A transformação acontece através da abertura dos corações, um de cada vez. Nesse sentido, a percepção iluminada de uma pessoa que vive na mais completa obscuridade pode influenciar tanto a paz mundial quanto o Dalai Lama. Algumas pessoas podem ter um dharma mais visível, mas a contribuição de todos para o paraíso na Terra tem a mesma importância. Não se preocupe com o motivo pelo qual os professores não estão ensinando de acordo com a sua ideia de como deveriam ensinar. Isso apenas o desvia da importância de fazer o seu papel em aumentar a consciência mundial da melhor forma que puder. Quando todos fazem seus papéis com integridade e amor, podemos ter certeza de que a mudança quântica na percepção mundial ocorrerá de acordo com o plano perfeito de Deus no momento perfeito.

SINAIS E INCIDENTES

Pergunta:
Como podemos diferenciar os "sinais" verdadeiros dos meros incidentes em nossa vida?

Resposta:
Sinais ou eventos sincronísticos se destacam dos eventos comuns pela conexão pessoal que revelam entre você e o universo. Essa conexão geralmente se mostra em resposta a uma pergunta que você tem na mente. Uma amiga me contou, por exemplo, ter descoberto naquele determinado dia que a amiga Rosie, a quem não via há anos, estava muito doente. Enquanto ela andava pela rua pensando na amiga, viu uma jovem entregando rosas. Após ter associado as rosas à Rosie, ela entreouviu alguém dizer "ótimo". Naquele momento, ela soube que a amiga estava bem. E quando telefonou depois para saber notícias, Rosie respondeu: "Estou ótima." Ver alguém entregando rosas e ouvir a palavra "ótimo" não é um evento ou sinal extraordinário, mas no contexto do que a minha amiga estava perguntando ao universo, era uma resposta perfeita e feita sob medida. Depende muito de ouvir bem e prestar atenção ao que está acontecendo ao nosso redor.

ALMA RELATIVA E ALMA ABSOLUTA

Pergunta:
Se a alma é a "confluência de significados, contextos, relacionamentos e histórias míticas [...] que dão origem aos pensamentos e lembranças do dia a dia", por que queremos

ser "verdadeiros ao chamado da alma"? Ela é um conglomerado de influências mal interpretadas ou influências que correspondem à intenção universal?

Resposta:

É uma boa pergunta e mostra a dificuldade de usar a palavra "alma" para descrever conceitos espirituais complexos. A alma como confluência de significados, contextos e relacionamentos é a identidade não física da qual a maioria das pessoas geralmente percebe. Isso é a alma que busca a totalidade, a compreensão do Eu e a cura. O Eu superior é a nossa alma em perfeita compreensão, unidade e totalidade, que conhece a sua verdade eterna independente de quaisquer relacionamentos ou significados relativos no tempo e no espaço. É a esse chamado da alma ou Atman ao qual devemos ser verdadeiros, pois ele nos levará rumo à cura e à liberdade.

O PESSOAL E O IMPESSOAL

Pergunta:

O que você pensa sobre o motivo pelo qual o absoluto se manifestou? E o absoluto tem personalidade? O absoluto é pessoal? Como você explicaria a evolução da personalidade dos indivíduos?

Resposta:

Ao olhar para essas questões metafísicas definitivas, é bom ter em mente que todos os termos que aplicamos a essa realidade definitiva (como pessoal, impessoal, forma, sem forma) são conceitos humanos limitados para nos ajudar a compreender o que na verdade é uma experiência inefável da totalidade da vida. Essas são ideias da realidade, não a realidade em si e, portanto, não precisam seguir as nossas ideias limitadas do que é pessoal ou impessoal. Dessa forma, a pergunta sobre como o absoluto poderia criar personalidade a partir do impessoal não é importante para mim, pois implica que os dois sejam fundamentalmente diferentes ou que esses conceitos sejam mutuamente exclusivos de alguma forma. Também é perfeitamente possível perguntar como o tempo vem do atemporal, a forma vem do que não tem forma ou o relativo vem do absoluto. Esse assunto já foi bastante discutido e o nível de satisfação com a resposta depende, em última instância, do quanto você se sente confortável com o fato da realidade ser um paradoxo. As teorias quânticas e das supercordas podem fornecer tentativas matemáticas de explicar como o absoluto se manifesta, mas ainda incorrem nos mesmos obstáculos conceituais.

Brâman é descrito no Vedanta como um ser ao mesmo tempo pessoal e impessoal: é Nirguna, que não tem forma; e Saguna, que tem forma e atributo. É ao mesmo tempo ativo e silencioso. Por um lado, diz-se que Brâman dá origem a todas as manifestações do tempo e do espaço e, por outro, diz-se que ele é imutável e não manifesto. De novo, tudo isso são apenas palavras, não a realidade em si. Elas são feitas para direcionar o nosso entendimento dessa experiência de Brâman, mas não podem definir ou transmitir a realidade através da lógica. Os sábios dizem que não há resposta realmente satisfatória para essa pergunta até a consciência da unidade, quando você conhece Brâman como o cerne mais íntimo da sua existência.

Outros livros da série
PERGUNTE A DEEPAK CHOPRA

Pergunte a Deepak Chopra sobre amor e relacionamentos
Pergunte a Deepak Chopra sobre saúde e bem-estar
Pergunte a Deepak Chopra sobre espiritualidade

Sobre Deepak Chopra

Deepak Chopra é médico e autor de mais de oitenta livros, incluindo diversos best-sellers do *New York Times*. Suas especialidades médicas são clínica geral e endocrinologia. Ele é membro do American College of Physicians, da American Association of Clinical Endocrinologists, além de professor adjunto dos programa para executivos da Kellogg School of Management na Northwestern University. Deepak Chopra também recebeu os títulos de Distinguished Executive Scholar na Columbia Business School, Columbia University, e de Senior Scientist na Gallup Organization Durante mais de dez anos foi conferencista no evento anual Update in Internal Medicine, do Departamento de Extensão da Harvard Medical School e do Departamento de Medicina do Beth Israel Deaconess.

Para se conectar com Deepak Chopra (em inglês)

Página da internet:
http://www.deepakchopra.com

Facebook:
https://www.facebook.com/DeepakChopra

Twitter:
https://twitter.com/DeepakChopra

Este livro foi composto na tipologia Minion Pro
Regular, em corpo 11,5/15, e impresso em
papel off-white no Sistema Cameron da
Divisão Gráfica da Distribuidora Record.